SOYEZ HEUREUX EN COUPLE
GRÂCE À BOUDDHA

Charlotte Sophia Kasl

SOYEZ HEUREUX EN COUPLE GRÂCE À BOUDDHA

Comment nouer une relation durable sur un chemin spirituel

Traduit de l'anglais (États-Unis)
par Emmanuelle Farhi

Du même auteur,
chez le même éditeur

Trouvez l'âme sœur grâce à Bouddha

Titre original :
If the Buddha married

© Charlotte Sophia Kasl, 2001.
© Éditions Michel Lafon, 2007, pour la traduction française.
7-13, boulevard Paul-Émile-Victor – Ile de la Jatte,
92521 Neuilly-sur-Seine Cedex
www.michel-lafon.com

Je dédie ce livre à John et Helen Watkins.
Et à tous ceux qui s'efforcent d'apporter amour, justice et paix
dans leur vie et dans le monde.

communion. Il montre comment fleurissent la vitalité, la spontanéité et la liberté, dès lors que nous devenons aptes à considérer notre conjoint clairement – sans nous laisser aveugler par des projections, des illusions et des attentes.

D'un point de vue bouddhiste, le chemin spirituel de l'éveil implique de comprendre nos attachements – le fait que nos attentes, peurs et exigences constituent la racine de notre souffrance individuelle, y compris dans nos relations. Nous apprenons à insuffler de la conscience dans nos comportements, notamment dans nos réactions intenses face aux paroles et aux actes de notre partenaire. Nous découvrons comment exploiter nos fortes charges émotionnelles, de sorte qu'elles favorisent notre éveil au lieu de nous inciter à fuir la relation. Nous apprenons à rester présents à nous-mêmes et à reconnaître notre colère, notre peur ou notre douleur, pour cesser de nous dissimuler – aux autres et à nous. Et tout cela nous ouvre à la possibilité d'une union intime, vivante et durable.

Tandis que nous relâchons notre emprise tenace sur des comportements et des croyances qui nous poussent à agir et réagir de façons inconscientes et prévisibles, nous entrevoyons ce que signifie la liberté d'un esprit ouvert, parfois aussi appelée, dans les enseignements spirituels, l'esprit zen ou l'esprit de débutant. Nous commençons alors à pénétrer le cœur de l'autre avec compréhension, bonté, bienveillance, et avec une lucidité qui transcende les mots. Fascination, humour et plaisir remplacent crainte, crispation et inquiétude. L'esprit de débutant nous permet de vivre dans l'instant présent. Nous nourrissons chaque jour une perception neuve de nous-mêmes et de l'être aimé, à mesure que nous apprenons à danser ensemble au fil de l'existence. Nous entretenons un rapport toujours vivant l'un avec l'autre, au travers d'un processus permanent de questionnements : Qui es-tu ? Qui suis-je ? Quels sont tes sentiments, besoins, pensées et désirs ? Quels sont mes sentiments, besoins, pensées et désirs ? Ainsi, notre relation devient dynamique et vibrante, et non plus statique et prévisible.

Cet ouvrage ne présente pas le concept d'un mariage parfait, même s'il compte des exemples de couples ayant su cultiver des relations très positives, durables et enrichissantes. Il encourage plutôt le lecteur à s'immerger dans le courant du fleuve qui rythme la vie et à aborder les rapides, les barrages et les eaux claires avec fascination et intérêt. Il montre comment notre capacité à créer une union intime avec autrui est profondément imbriquée dans notre voyage spirituel et notre développement émotionnel individuels.

Il n'existe pas de chemin unique, valable pour tous les couples, ni de modèle garantissant la réussite. Ceux que j'ai interviewés pour ce livre présentent d'innombrables différences. Certains se sont rencontrés en première année d'université et sont restés ensemble depuis. D'autres ont traversé de multiples aventures tumultueuses ou vides de sens, avant de s'engager enfin dans une relation qui fonctionne. Il s'agit parfois d'un premier, d'un second, voire d'un troisième mariage. Certains présentent de grands écarts d'âge, notamment deux couples où la femme a quatorze ans de plus que son époux. Toutes ces personnes sont de races, de confessions, d'orientations sexuelles, d'approches spirituelles, de classes sociales et de niveaux culturels très divers. Mais la santé de leur relation repose sur la conscience, l'engagement, l'ouverture d'esprit, l'acceptation, les valeurs partagées et la capacité à accueillir les différences et à gérer les conflits – ainsi que sur une forte attirance et une grande affection mutuelles –, davantage que sur la nature de leur histoire personnelle.

Étant donné que les différences sont inévitables au sein d'une relation, nous découvrirons comment aborder les conflits et la façon dont nous générons inconsciemment des disputes afin d'éviter l'intimité ou de libérer nos tensions. Le lecteur apprendra aussi à être plus lucide face aux sources de conflit, en identifiant les réactions archaïques de lutte ou de fuite qui font écho à son enfance – l'adolescent révolté qui lance « Ne me dis pas ce que je dois faire ! », ou le petit, terrorisé, qui implore « Je t'en supplie, dis-moi que tu m'aimes ! » Nous pouvons apprendre à nous recentrer dans le présent, pour ne pas nous laisser contrôler par ces réactions périmées.

Une gestion avisée du conflit n'aboutira pas toujours à la résolution complète du problème. Mais avec de la bonne volonté et une perspective plus large, les différences peuvent coexister confortablement avec un lien d'amour. Comme me l'a confié un couple : « Cela ne signifie pas qu'aucun problème ne se pose, ni que nous trouvions toujours des solutions. Simplement, nous éprouvons un sentiment de confiance et de sécurité suffisant pour parler de n'importe quel point épineux, en sachant que cela ne nous séparera pas. »

Soyez heureux en couple grâce à Bouddha explore les façons d'être vraiment vivant et authentique, plutôt que de confectionner une espèce de patchwork qui colmate la relation mais entrave la possibilité d'un lien véritable. Cet ouvrage ne propose pas de pansements superficiels – se montrer plus avenant, entretenir le mystère, prodiguer davantage de compliments –, ni d'autres recettes comportementales destinées à se fabriquer un faux personnage. Il incite davantage le lecteur à aller plus profond en lui-même, pour identifier ce qui le retient de témoigner plus d'ouverture, d'acceptation et d'amour à son partenaire. Et nous pouvons appliquer cela à tous nos rapports dans notre vie.

Nous verrons que le désir de nous connaître et de nous accepter nous-mêmes, ainsi que notre partenaire, favorise la création d'un climat de confiance et de sécurité. Si nous apprenons à vivre dans le présent, libérés des préjugés et des attentes périmées, chacun peut exprimer ses pensées et ses sentiments, et manifester son amour en toute liberté. Cela enrichit la sensation du « Nous », cette précieuse sphère d'union et de connexion qui permet à chaque individu de s'épanouir davantage dans son couple.

Ce chemin vers l'intimité et la communion exige d'explorer nos blessures cachées et nos peurs enfouies, qui remontent inévitablement à la surface dès lors que nous nous ouvrons totalement à l'autre. Ce voyage spirituel demande la volonté de nous aventurer sans cesse dans le territoire inexploré des évolutions permanentes de notre partenaire. Finalement, un mariage basé sur les enseignements de Bouddha devient une expérience profonde : nous nous mettons au diapason, à la fois de nous-mêmes et de notre partenaire, au travers de mots, de gestes, de regards et de silences. Pour citer les paroles du poète Kabir, nous nous rappelons que « la rivière qui coule en toi coule aussi en moi ». Cette rivière de vie est toujours là, vibrante en chacun de nous et entre nous. Il suffit de dépasser notre ego, nos jugements, nos peurs, pour la ressentir.

Pour les aventuriers intrépides, ce chemin promet d'innombrables récompenses : davantage d'aisance, de confiance, de joie, de clarté et d'aptitude à gérer les conflits, ainsi qu'un lien plus durable, vivant, passionné et sexuellement épanoui.

1
Le chemin spirituel vers l'amour

❶ Le bouddhisme pour les couples

> *Que tous les êtres, partout dans l'univers,*
> *soient libérés de la souffrance et de la racine de toute souffrance.*
> *Que tous les êtres, partout dans l'univers, trouvent le bonheur*
> *et la racine de tout bonheur.*
>
> Bénédiction bouddhiste

Les enseignements bouddhistes procurent une merveilleuse base permettant de comprendre une relation amoureuse. Ils nous aident à ouvrir notre conscience, à vivre dans le présent, et à nous éveiller à nous-mêmes et à l'autre. Dans ce contexte, nous tiendrons compte de divers concepts essentiels à cette philosophie, à savoir : l'impermanence, la compassion, l'attachement, la nature de nos réactions conditionnées et l'unité du Tout, qui sous-tend l'ensemble de ces notions.

Les principes du bouddhisme s'appliquent aussi bien à notre quotidien qu'à nos rapports d'intimité. Il n'existe pas de cloison entre la conscience que nous avons de respirer, de penser, de parler, de manger, de marcher, de travailler, de jouer, et celle avec laquelle nous abordons notre manière de nous relier à autrui et à toute forme de vie. Lorsque nous apprenons à accorder de l'attention à tout ce que nous faisons, nous découvrons que l'existence elle-même est une forme de méditation. Notre tâche sur ce chemin spirituel consiste à nous engager pleinement dans le moment que nous vivons.

Nous en venons à comprendre que le bonheur, la tristesse, la douleur et la joie ne sont que des souffles de vent, passagers et versatiles. À mesure que notre esprit accède à une plus grande tranquillité, nous devenons plus en mesure de nous mettre au diapason avec l'instant présent. Nous acceptons alors que, pour chacun, la vie soit imprévisible, difficile et extraordinaire à la fois. Alors, nous acquérons la capacité d'aimer et de pardonner nos proches, qui parcourent le même chemin d'imperfection, propre à la condition humaine.

Lorsque le prince Siddharta Gautama prit le nom de Bouddha, signifiant l'Illuminé, il avait vécu cinq années de célibat volontaire. Avant de quitter le palais de ses parents pour trouver une réponse à la souffrance universelle des hommes, il avait épousé une belle princesse qui lui avait donné un fils. Nous nous trouvons donc face à un paradoxe : avant l'éveil, Bouddha était marié ; quand il entreprit son voyage spirituel, il opta pour le célibat. On pourrait dès lors se poser la question de la voie de la sagesse dans les relations de couple dans la philosophie d'un homme qui a choisi d'abandonner sa femme et son enfant pour vivre dans l'abstinence. Or nous trouvons des réponses dans sa compréhension des racines de la souffrance humaine et dans la profondeur de ses enseignements, porteurs de joie, de compassion et de bienveillance – trois éléments libérateurs nous permettant de nouer d'authentiques liens d'amour.

Le bouddhisme parle davantage d'expérience que de croyance. Il n'implique nullement le concept d'un Dieu suprême – d'un père, d'une mère ou d'une entité invisible, qui nous guide, nous réconforte, nous tend la main. Il n'est pas non plus question d'un juge qui décrète ce qui est bien ou mal. Nous trouvons plutôt un refuge dans les enseignements eux-mêmes, et dans la communauté de ceux qui ont choisi le même chemin que nous. Nous évaluons le bien-fondé de nos actions à l'aune de l'harmonie entre notre esprit et notre cœur, en nous demandant si nous sommes guidés par la bienveillance et la compassion en toute chose. Au sein d'un couple, nous sommes deux partenaires, égaux et complets sur la voie de l'éveil, qui s'unissent, apprennent l'un de l'autre, mais accomplissent chacun son voyage propre et individuel. Le bouddhisme considère que toutes les formes de vie sont sacrées et interreliées, que, sous la surface de nos comportements et de nos pensées, réside l'essence de notre être, cette force unificatrice qui coule en chacun de nous.

Dans le bouddhisme, la notion de péché n'existe pas. Car nos comportements offensants ou malfaisants puisent leur source dans notre propre inconscience ou ignorance. Si nous étions pleinement éveillés, nous saurions qu'en blessant autrui, nous nous blessons nous-mêmes et inversement. Tout est interrelié, il n'y a pas de séparation. En intégrant cette idée, nous devenons moins agressifs face aux autres et plus enclins à des réponses dénuées de peur ou de méchanceté.

Voici un aperçu de certains principes fondamentaux du bouddhisme, cruciaux dans les relations amoureuses.

Le vide : nous sommes tous reliés

Ce concept, au cœur du bouddhisme, implique que tout est constitué de vide. En d'autres termes, il existe une énergie unificatrice sous-tendant toute forme de vie. Au plus profond de nous-mêmes, nous sommes essence – un « je suis » universel. Mais nous possédons aussi une enveloppe charnelle, et un ensemble de croyances, de valeurs et d'attentes que nous avons adopté. Malheureusement, nous nous identifions trop souvent à ces images mentales, au lieu de vivre notre nature essentielle, que certains appellent « Source », « Dieu », « Esprit » ou « Tout ». Pour être en paix avec nous-mêmes et pour créer une intimité avec autrui, il nous faut admettre cette essence profonde et comprendre que notre être préexiste à toutes ces notions, habitudes et croyances acquises. Si nous nous dépouillons de ces pensées et perceptions pour rencontrer l'être unique que nous sommes, nous découvrons que tout se dissout, dans notre essence. Il n'existe aucune base solide à laquelle nous raccrocher pour définir ce que nous sommes. Cette notion peut paraître à la fois effrayante et libératrice – effrayante pour notre mental et notre ego, libératrice pour notre cœur, qui aspire à connaître l'amour.

Paradoxalement, c'est à travers ce vide que nous trouvons la complétude et l'amour, parce que aucun obstacle ne s'y oppose. Nous sommes unifiés.

Cette idée d'unité peut s'étendre à tout notre quotidien. Thich Nhat Hanh écrit : « Chaque chose contient tout le reste. » Il utilise l'expression « inter-être ». Nous sommes les nuages, l'eau, la forêt, la terre… contenus dans tout ce que nous mangeons, buvons, respirons. Nous sommes également perméables aux vibrations de l'autre : son toucher, sa voix, son rire, son baiser, son sourire, son froncement de sourcils. Tout devient une forme d'énergie, mouvante et fluctuante, en nous comme entre nous et autrui. La séparation n'est qu'illusion. Lorsque nous prenons conscience de ce niveau profond d'« inter-être », qui nous unit à notre partenaire et à tous nos semblables, nous mesurons l'importance de nous montrer attentionnés dans notre comportement et nos propos.

Les quatre nobles vérités qui créent la conscience

À la base des enseignements de Bouddha se situent les quatre nobles vérités. Elles expliquent comment nous générons notre propre souffrance à travers nos attachements, nos attentes, nos exigences et notre désir que les gens et les circonstances soient différents de ce qu'ils sont. En les examinant de plus près, nous découvrons les nombreuses manières dont nous tentons de contrôler les autres.

La première de ces quatre vérités consiste à accepter que la souffrance soit intrinsèque à la vie. La deuxième affirme que nous souffrons en raison de nos attachements : ce que nous désirons, ce à quoi nous nous accrochons, ce que nous voulons absolument. La troisième vérité implique que le nirvana – à savoir la sérénité, la paix intérieure et l'absence de tout manque – est possible dès lors que nous cessons de nous attacher. La quatrième vérité définit l'octuple sentier, qui mène à la libération de tout attachement et compte huit étapes : la vision juste, l'intention juste, l'action juste, la parole juste, le juste mode de vie, le juste effort, la juste concentration et la juste vigilance. Pour ma part, j'ajouterais à cette liste la « juste relation ».

C'est au Cornucopia Center, fondé par Ken Keyes, auteur du *Manuel pour une conscience supérieure*, que j'ai découvert cette notion selon laquelle je générais ma propre souffrance à travers mes attachements. Ce fut sans doute le plus grand moment d'éveil de mon existence. J'ai compris que, si quelqu'un semblait ne pas m'aimer ou se mettait en colère contre moi, cela signifiait qu'il s'attachait à ce que je sois différente – et non pas que j'étais mauvaise. De même, je me suis rendu compte que ma propre impatience ou exaspération reflétait mon attachement à ce que l'autre se conduise différemment. Ainsi, c'étaient mes propres attentes qui créaient mon tumulte intérieur, et non les actes ou les paroles des autres.

L'idée que nous faisons le mal par ignorance ne nous dédouane pas de la responsabilité de nos actes, mais elle suggère que nous ferions mieux d'explorer la douleur ou le besoin sous-jacent à notre comportement, plutôt que de nous juger trop sévèrement ou de nous sentir submergés de honte. Cette prise de conscience m'a permis de modifier mes relations. Cependant, même si cette compréhension m'apportait un immense soulagement, cela ne m'empêchait nullement de me sentir blessée, furieuse ou triste. Néanmoins, je parvenais, de plus en plus souvent, à interrompre mes réactions habituelles, en prenant du recul et en constatant combien elles découlaient de mes propres attachements. Je m'arrêtais un moment pour permettre à mon esprit de changer de mode. Évidemment, cette lucidité et cette vigilance requièrent une pratique quotidienne.

Pour aimer mieux, ouvrir notre cœur et nous sentir en union avec les autres, commençons par identifier nos attachements. Chaque fois que nous éprouvons de l'exaspération, de la contrariété, de la colère ou de la peine, cela signifie que nous souhaitons qu'une chose soit différente de ce qu'elle est. Nous résistons à « ce qui est » à ce moment précis.

Dans une relation amoureuse, les individus s'attachent aux compliments, à la validation, au sexe, à la sécurité, au statut, à la reconnaissance de leur valeur. Des phrases telles que : « Tu m'as rendu si heureux ou si malheureux » reflètent très bien cette notion d'attachement. Car, en réalité, personne d'autre que nous-mêmes ne peut nous rendre heureux ou malheureux, et notre partenaire n'est pas là pour nous rassurer sur notre propre valeur. Cela ne signifie pas qu'au sein d'un couple, on ne s'apporte ni reconnaissance ni soutien mutuels. Cependant, nous ne dépendons pas de notre conjoint pour nous sentir bien ou mal. Notre bonheur n'est que la conséquence naturelle de notre amour et de notre bienveillance.

Dès lors que nous lâchons prise sur nos attachements, notre esprit s'apaise et nous nous sentons plus en harmonie avec les autres. Nos attachements ne disparaissent pas, mais nous les prenons pour ce qu'ils sont, à savoir les bavardages de notre esprit conditionné. Lorsque nous nous arrêtons pour nous demander : « Quelle est cette exigence en moi qui me contrarie tant ? », nous devenons spectateurs du scénario de notre vie. Nous commençons à voir notre existence comme une pièce de théâtre. Nous y jouons un rôle, mais elle ne nous définit pas.

Petite mise en garde : certaines personnes se cachent derrière cette notion d'attachement pour se justifier et rester dans une relation nuisible ou malsaine. Elles rationalisent la violence en disant : « C'est juste parce que je n'accepte pas les choses telles qu'elles sont. » Or cela masque un attachement encore plus profond, peut-être à la sécurité, ou la peur de la solitude. Alors, rappelons-nous bien de prendre ces enseignements dans leur intention initiale, c'est-à-dire pour générer un plus grand bien-être dans notre vie, et non pour nous cacher derrière des alibis.

La bienveillance

> *Mon souhait : dans la joie et dans la sécurité,*
> *Que tous les êtres soient en paix…*
> *Qu'aucun d'entre eux, par colère ou malveillance,*
> *Ne souhaite de mal à autrui.*

Bouddha

Pouvons-nous regarder l'être aimé et lui souhaiter, profondément et sincèrement, la délivrance de toute souffrance et de la source de toute souffrance ? Pouvons-nous, de tout notre cœur, lui souhaiter d'accéder à la plénitude de ce qu'il ou elle peut devenir ? Nos actes et nos paroles reflètent-ils vraiment ces souhaits d'amour ? Lorsque deux individus s'ouvrent totalement l'un à l'autre, ne désirant que le meilleur pour chacun, ils franchissent les frontières de la séparation. Telle est l'essence de la bienveillance.

Cela implique, à la base, de nous traiter nous-mêmes avec une tendresse et une acceptation inconditionnelles. Khalil Gibran écrit, dans *Le Prophète* :

« Dans votre aspiration vers votre moi géant gît votre bonté, et cette aspiration existe en vous tous. »

En ce lieu intérieur d'acceptation de soi et de rayonnement vers les autres, nous nous sentons centrés, authentiques et sans peur. Lorsque la bienveillance émane de notre être, nous devenons si sereins au tréfonds de nous que la colère et l'hostilité ne peuvent prendre racine dans notre cœur. Dès lors que nous avons connu cette merveilleuse expérience de la bienveillance et de son rejaillissement sur notre entourage, nous mesurons combien entretenir notre peine, notre colère, notre douleur ou notre sentiment de perte nous confine et nous restreint.

Le premier pas à franchir vers cette bienveillance consiste à suivre notre cœur. Cela nous permet de nous réjouir pour les autres, lorsqu'ils accèdent à leur puissance intérieure et découvrent enfin leur voie. Si nous restons dans l'ombre de notre existence, fermés aux vastes possibilités qui s'ouvrent à nous, nous risquons d'éprouver de la jalousie ou de l'inconfort face à des personnes explorant vraiment leur potentiel.

La bienveillance ne signifie pas arborer un sourire factice et béat, ni négliger de se protéger soi-même. Dans son merveilleux ouvrage sur la bienveillance, Sharon Saltzberg raconte l'histoire d'une femme en pousse-pousse qui se fit agresser par deux hommes, essayant de lui arracher son sac. Quelque temps après, elle demanda à son guide spirituel ce qu'il aurait fait en pareille circonstance et ce dernier lui répondit : « Avec bienveillance, j'aurais saisi mon parapluie et je les aurais frappés sur la tête. » Nous pouvons dire non avec bienveillance, rompre avec bienveillance. Cela revient simplement à constater que les autres font ce à quoi ils sont conditionnés, tout en prenant soin de nous-mêmes.

L'expérience de la joie conduit aussi à la bienveillance. La joie est comme une effervescence du cœur, qui bouillonne d'émerveillement, d'étonnement et qui sourit devant les difficultés de l'existence. Nombre de personnes parviennent plus facilement à s'unir dans la douleur et dans la tristesse que dans le plaisir et l'allégresse. Or la joie est une puissante énergie qui parcourt tout notre corps, brise les tensions, met en évidence nos blessures secrètes et augmente notre capacité à éprouver tous les sentiments. Plus cette énergie circule librement, plus notre espace intérieur nous semble vaste.

Si nous cessons d'accorder trop d'importance à notre expérience interne – soit en la fuyant, soit en la dramatisant –, nous portons un regard plus léger sur les qualités et les défauts humains. Au final, nous percevons mieux nos points communs avec autrui : « Je sais ce qu'il ressent et d'où cela provient : moi aussi, je suis passé par là. J'ai volé, j'ai menti, j'ai eu peur, je me suis montré arrogant. » Cela nous permet d'être présents quand l'autre souffre : simplement être là, et lui offrir un havre de sécurité. Et depuis ce lieu intérieur, silencieux et néanmoins vibrant, nous éprouvons une plus grande connexion avec nous-mêmes et avec l'autre.

L'impermanence de la vie

Nous n'avons pas de moi fixe : chaque aspect de notre être est en évolution constante. Notre santé, notre travail, nos centres d'intérêt, nos amitiés, notre vie sexuelle, le temps qu'il fait : tout se transforme, qu'il s'agisse de déclin ou de régénérescence. De même, et en conséquence, nos relations ne sont pas statiques. Un couple qui se rend chez un thérapeute pour retrouver l'ardeur érotique de ses débuts doit le comprendre : ce moment est passé et ne reviendra plus. Nos besoins, envies, sentiments, pensées, humeurs et désirs changent continuellement. La vie est un fleuve, jalonné de pertes, de mutations et de renaissances.

En acceptant l'impermanence, nous considérons la relation amoureuse comme une danse évoluant au rythme du moment et découlant de notre état et de celui de notre partenaire – de nos pensées, de nos émotions, des regards échangés, de notre corps et de ses changements. Dès lors que nous renonçons à cette idée de perceptions et d'attentes figées, nous découvrons l'incroyable légèreté de l'instant présent. Nous cessons d'employer des expressions telles que : « Mais tu avais l'habitude de… » ou « Nous avons toujours… » pour nous demander chaque jour : « Qui es-tu ici et maintenant ? »

La véritable acceptation de l'impermanence et des inévitables pertes quotidiennes qu'elle implique peut nous laisser l'impression d'un fil de chagrin parcourant notre existence. Dans les temples bouddhistes, on place souvent un bouquet de fleurs pour rappeler que rien n'est immuable. Mais si nous regardons ces fleurs en pensant qu'elles font partie d'un cycle – et qu'elles formeront bientôt le compost à partir duquel d'autres plantes naîtront –, nous libérons notre esprit pour ne former qu'un avec la continuité de la vie.

Samsara, la roue de l'existence

> *Tant que vous resterez inconscient, endormi sur une voie de garage de votre vie, le bonheur tendra à vous échapper.*
>
> Lama Surya Das

« Je n'ai pas envie de parler maintenant », dit-elle, et son compagnon ressent une tristesse familière. « Je sors avec un copain samedi après-midi », annonce-t-il, et sa femme est instantanément jalouse. Elle demande son aide pour les travaux domestiques et il répond : « Arrête de me donner des ordres ! » ou, pire encore, « Pas de problème », mais il ne fait rien. De nombreux couples se disputent pour des questions d'horaire, d'argent, de sexe, d'activités, d'enfants, et ces querelles sont tellement prévisibles qu'ils pourraient en écrire le scénario à l'avance.

Pour vivre heureux, libres et en harmonie avec notre essence, nous devons observer nos réactions conditionnées, contenues dans le terme *samsara*, qui nous gardent « endormis, sur une voie de garage de notre propre vie ». *Samsara* parle de la souffrance inhérente à une vie creuse, composée de schémas routiniers, sans réflexion, contemplation ni compréhension. C'est la souffrance de ne pas être pleinement vivant et éveillé. Comme si notre vie se déroulait sans nous. Dans les relations amoureuses, nous agissons et réagissons toujours vis-à-vis de l'autre de la même façon, au point d'éteindre l'étincelle et d'« endormir » l'amour.

Pour renforcer l'intimité dans notre couple, commençons par noter nos attitudes habituelles face à l'autre. Observons si nous dominons la conversation ou si nous nous réfugions dans l'appréhension. Vérifions si nous prenons vraiment à cœur les besoins de notre conjoint. Identifions nos excuses pour ne pas faire l'amour. Listons les récriminations, théories et opinions que nous avons serinées des centaines de fois. Pour insuffler davantage de vitalité à la relation et échapper aux schémas enracinés, cessons d'agir de façon prévisible. Lorsque la même discussion revient sur le tapis, interrompons-la en disant : « Nous avons déjà parlé de cela. Essayons autre chose. »

Cela peut aider d'examiner nos comportements routiniers pour trouver des niveaux plus profonds de vérité ; une fois mis en lumière, ils pourraient revitaliser la relation. « Je trouve des excuses pour ne pas faire l'amour parce que cela me semble mécanique et que je n'y prends plus de plaisir. » « Je vais chez Jim le samedi, parce que tu me demandes de t'aider à faire le ménage et que je préfère m'amuser un peu. » « J'ai peur de me pencher sur notre situation financière, parce que je me sens incapable de contrôler mes dépenses. » Dès lors que nous nous rapprochons du noyau de notre vérité, nous nous rapprochons de l'autre et nous ouvrons la voie à la nouveauté.

Nous ne mesurons pas toujours consciemment à quel point nous sommes séparés et distants, mais nous le ressentons physiquement, émotionnellement et dans notre inaptitude à l'émerveillement, au plaisir, au bonheur. Nos schémas habituels créent une distance parce que nous sommes absorbés par nous-mêmes. L'ouverture et la vérité nous rapprochent parce que nous sommes éveillés et capables de regarder dans les yeux de l'être aimé. Nous pouvons percevoir différents degrés de proximité et de séparation dans notre corps, même des nuances minimes. La distance procure souvent une impression de monotonie, d'ennui, de solitude. La proximité se traduit fréquemment par de la chaleur, de la légèreté, de la joie et un sentiment de paix.

Parfois, nous sommes incapables d'agir ou de réagir de manière innovante, même armés de la meilleure volonté. C'est là que l'exploration de *samsara* conduit à une rencontre naturelle entre le bouddhisme et la psychologie. En effet, d'un point de vue psychologique, nos réactions conditionnées – compulsions, peurs, colères, douleurs, hontes – sont gravées dans notre cerveau et enracinées dans notre système nerveux. Elles se déclenchent automatiquement, malgré nous.

Or nos réactions habituelles ne résultent pas toutes d'un traumatisme passé. Il est souvent dans la nature même de la vie de se retrouver en proie à des aspirations conflictuelles entre inertie et action, entre conscience et inconscience. Nous avons envie de regarder la télévision et que notre maison soit rangée. Nous voulons manger des sucreries et rester minces. Nous souhaitons une relation intime, mais nous refusons de révéler nos peurs ou de consacrer du temps à l'autre. Tout cela exige des efforts et le dépassement de l'inertie. Comme toujours sur le chemin, rester éveillé requiert un engagement quotidien à rester à l'écoute de soi-même, à plonger plus profondément en soi et à parler avec son cœur.

Fondamentalement, la voie du bouddhisme est celle de l'éveil : ouvrir notre esprit, laisser choir notre armure et accéder à ce lieu tendre en notre cœur. Tout peut nous conduire à l'éveil : un amant formidable, une querelle violente, un appareil ménager en panne, une maladie ou une victoire. Nous avons alors le choix : accepter cette expérience et nous éveiller, ou nous endormir en fermant les yeux et en résistant. À un stade avancé de cette évolution, nous parvenons à accepter le mouvement de la vie ici et maintenant : dynamique, changeant, vivant. L'aboutissement ultime consiste à lâcher prise sur tout et à simplement être présent à la vie, avec un cœur aimant et un esprit libre.

❷ Accueillir le bien-aimé : le soufisme

> *Remplis ta coupe, bois-la jusqu'à la lie*
> *Le poisson dans l'eau n'a jamais soif.*
>
> Extrait des *Danses de la paix universelle*

Si les principes développés dans cet ouvrage s'inspirent du bouddhisme, j'y inclus aussi des notions empruntées au soufisme et à la philosophie des Quakers. Le soufisme, souvent surnommé le chemin du cœur, se base sur l'idée non pas que Dieu est amour, mais que l'on peut trouver Dieu dans l'amour entre les hommes. Aimer une personne équivaut à aimer tous ses semblables, et aimer tout le monde revient à aimer chaque individu. Si le bouddhisme consiste à contacter le vide et à s'unir à lui, le soufisme implique davantage de se remplir et de s'abandonner à l'extase de la nature, de l'amour et de l'union avec le Tout. Et, de fait, il existe un caractère extatique dans une belle relation amoureuse – une joie qui va bien au-delà des mots et qui pénètre nos rituels et tâches du quotidien, une joie de n'être qu'un avec l'aimé.

Les soufis s'appellent entre eux Frère ou Sœur et ajoutent souvent le qualificatif « aimé » ou « que j'aime ». Cela nous rappelle que nous résidons tous dans le cœur de ce Dieu d'amour qui constitue l'essence du grand Tout. La première fois que l'on m'a accueillie dans une assemblée soufie en m'appelant « Charlotte bien-aimée », mes yeux se sont emplis de larmes. Récemment, je planifiais un dîner en compagnie d'une amie soufie et nous discutions de la quantité de glace à acheter, lorsqu'elle me répondit en souriant : « N'en prévoyons pas trop. Nous recevons nos bien-aimés et ce n'est pas bon pour leur santé. » En d'autres termes, chaque personne, connue ou inconnue, est notre aimée et notre bienveillance s'applique à tout le monde ; ce concept rejoint, selon moi, l'esprit du bouddhisme.

Alors, prenons un instant pour penser à notre partenaire (ou à un ami cher) comme à notre bien-aimé. Inspirons profondément, détendons notre ventre et laissons la signification de ce mot pénétrer notre cœur. Songeons à cette personne chère, qui désire la même chose que nous : être aimée, délivrée de toute souffrance, remplie de félicité. Imaginons cet humain imparfait qui nous choisit comme nous l'avons choisi. Cet être dont le contact, la voix, les habitudes, l'odeur imprègnent tous nos sens. Cet autre qui partage avec nous ce voyage, pour le meilleur et pour le pire.

Ressentons en nous cet amour si riche et florissant qu'il peut traverser les cuirasses les plus épaisses, défaire les nœuds les plus serrés, dissiper les peurs les plus intenses dans notre cœur. Visualisons cette énergie circulant si librement en nous qu'elle déborde pour s'écouler dans le cœur de notre aimé, nous conduisant tous deux vers ce lieu au-delà des illusions, où tout n'est qu'amour.

③ Apprendre à se faire confiance : la Société des amis

> *Amis bien-aimés, nous ne vous imposons pas ces choses comme une règle*
> *ou une forme à suivre, mais pour que tous puissent être guidés*
> *dans l'éclairage de la lumière qui est pure et sainte, et qu'ainsi cheminant*
> *et séjournant dans la lumière ces choses puissent s'accomplir selon*
> *l'Esprit, non par la lettre ; car la lettre tue, mais l'Esprit donne la vie.*
>
> Les Anciens de Balby, 1656

Les Quakers s'inspirent d'un large éventail d'enseignements. Selon leur philosophie, reconnaître nos vérités, à mesure qu'elles émergent, et mener notre existence en accord avec elles constitue le noyau de notre voyage spirituel. Dans ce cadre, la méditation silencieuse est le moyen d'entendre les conseils émanant de notre petite voix intérieure. Ce profond niveau d'écoute nous permet de parler simplement et clairement, du fond de notre cœur – une qualité essentielle en amour. Comme le bouddhisme, la pratique quaker ne s'articule pas autour de croyances, mais autour d'une façon de vivre : insuffler à notre quotidien silence, bienveillance et conscience, prêter attention à nos actes et à leurs effets sur autrui.

Les Quakers accordent beaucoup d'importance à l'unité du groupe, sans exclure pour autant l'intégrité personnelle. Un peu comme si deux fils s'entrelaçaient en nous simultanément : notre perspective individuelle et notre engagement à maintenir l'unité pour le bien de la communauté. Transposé dans les relations amoureuses, cela correspond à l'équilibre entre le « Je », le

« Tu » et le « Nous » – un équilibre que j'ai toujours trouvé évident chez les couples heureux, indépendamment de leurs convictions religieuses.

Les Quakers n'emploient pas le terme « église » ; ils parlent davantage de réunions ou de groupes pour pratiquer leur culte. L'endroit importe peu, car ils n'utilisent ni objets, ni symboles, ni textes sacrés. Les personnes se mariant selon la tradition quaker sont considérées dès lors comme sous la protection du groupe : les Quakers s'engagent à entourer et secourir les conjoints.

Les Quakers prennent leurs décisions par consensus, une démarche que j'ai recommandée à de nombreux couples. Cela ne signifie pas que les individus s'accordent parfaitement sur tous les points. Mais ils opèrent leurs choix au travers d'un processus d'écoute, de compréhension et d'expression de leur avis, afin de trouver une solution positive convenant à toutes les parties concernées. Cela évite les notions de gagnant ou de perdant, qui conduisent inévitablement au ressentiment, à la colère, au sentiment d'indignité ou de soumission. Parvenir à un consensus peut se révéler laborieux, mais par cette approche les couples récoltent la profonde satisfaction de nourrir et de choyer leur union, de témoigner leur appartenance et leur investissement. Il s'agit vraiment d'un exercice de dépassement de l'ego, afin d'accéder à la vérité, pour le plus grand intérêt du collectif, en l'occurrence le couple.

Les Quakers prônent la simplicité et appliquent ce concept aux paroles, aux possessions et au mode de vie. Mais simplicité ne signifie pas austérité ou privation. Simplement, nous nous autorisons les choses en quantité suffisante, à la mesure de nos besoins. Cela permet de sauvegarder notre temps pour ce qui compte vraiment, à savoir l'introspection, la réalisation de nos aspirations, le lien avec ceux que nous chérissons et le service au monde.

Le bouddhisme, le soufisme et les Quakers partagent plusieurs idées communes : la croyance en l'interrelation de tous les humains, le profond respect d'autrui, l'importance de se laisser guider par le bien, au-delà des possessions matérielles, du statut et de l'image, l'importance du silence et de la quiétude intérieurs, l'acceptation des différences, la conscience accrue et vigilante de ses propres perceptions et motivations, l'engagement à servir et la recherche de solutions en soi-même. Si les couples que j'ai rencontrés se réclamaient de convictions, de confessions et de cultures très diverses, ils en étaient tous venus à adopter – en partie ou dans leur ensemble – ces principes universels.

✿ Explorer la source d'un lien durable

Les conjoints heureux se nourrissent l'un de l'autre.
Une union saine permet aux deux partenaires de se libérer
du confinement du moi, d'être soulagés de la prison de l'ego…
Dès lors que nous faisons partie d'une entité plus vaste que
nous-mêmes, nous sommes délivrés du besoin de nous préoccuper
constamment de nos propres besoins et échecs.

Catherine Johnson

Au cours d'une récente conversation avec mon amie Sara et son époux Ed, j'ai mentionné cet ouvrage et leur ai demandé s'ils pouvaient me livrer certaines recettes de leur réussite conjugale. Ils vivaient ensemble depuis trente-six ans et avaient traversé toutes les épreuves inhérentes à la vie commune avec succès : éducation des enfants, déménagements, mutations professionnelles, coécriture d'un livre. Tous deux se lancèrent un sourire complice, puis Sara déclara malicieusement : « Têtus, nous sommes têtus ! » Alors que je lui demandais de préciser sa pensée, elle me répondit : « Cela signifie que nous n'abandonnons pas quand les temps sont durs. Nous avons une vision à long terme pour une relation à long terme. Quand nous parlons d'engagement, ce n'est pas à la légère. »

Nombreux sont les couples qui formulèrent des commentaires semblables. « Le divorce est tout bonnement exclu. » « Je me sens parfois furieuse contre lui, mais il me manquerait tellement. » « Je ne peux pas imaginer vivre sans elle. » Au sein d'un mariage durable, les conjoints ne se vantent pas d'une relation parfaite. Ils se sont forgé un lien profond et solide qui enrichit leur existence au fil du long et chaotique voyage que nous appelons la vie.

Ces unions solides présentent certaines caractéristiques communes, parmi lesquelles :

– une forte affection/attirance mutuelle, souvent dès le moment de la rencontre ; nombre de ces conjoints se définissent réciproquement comme meilleurs amis ;

– un profond niveau d'engagement à former un couple tout en restant deux individus séparés ;

– une aptitude à résoudre les conflits ;

– des valeurs, aspirations et façons de vivre partagées ;

– un témoignage constant d'appréciation, de respect, de bienveillance et de considération l'un envers l'autre ;

– le plaisir d'être en compagnie de l'autre ;

– la capacité à se serrer les coudes en cas d'épreuve ;

– un fort attachement à une communauté et la volonté d'être au service d'autrui ;

– un bon sens de l'humour, et la capacité de rire de soi et de se remettre en question ;

– un encouragement mutuel à ce que chacun s'épanouisse.

Afin de mieux cerner le concept d'une relation « durable », examinons d'abord la signification de certains termes associés à cet adjectif.

Durée : continuation, continuité, persistance.

Endurer : tolérer, tenir, résister, supporter.

Endurance : persévérance, force, courage, vigueur, patience, ténacité, constance, résistance, patience, détermination.

Je ne veux pas donner l'impression qu'une relation amoureuse n'est qu'une question d'endurance et de ténacité. Une union, qu'il s'agisse de mariage ou de concubinage, implique aussi du plaisir, du partage, de l'amitié. Pourtant, tous les couples interviewés et qui témoignent d'une relation réussie présentent de nombreux aspects associés à l'endurance.

Tolérance

Au sein des couples heureux, les conjoints en sont venus à accepter les différences chez leur partenaire. Lors de nos entretiens, ils évoquaient très rapidement leurs divergences. Par exemple, Charles, marié à Liz depuis quarante-six ans, m'avoua en souriant : « J'ai des goûts beaucoup plus luxueux qu'elle : j'aime dîner dans de bons restaurants, acheter de nouvelles voitures, élever des chiens de race, alors qu'elle préfère consacrer notre argent à des œuvres caritatives ou à aider nos enfants. » Liz confirma ses propos, en le regardant affectueusement : « En effet. C'est un de nos différends réguliers. Je suis plus sérieuse et tempérée sur ce plan. » Charles poursuivit : « J'adore allumer la radio ou passer des CD, mais elle préfère le calme. Alors, dès que je sors de la pièce ne serait-ce que dix minutes, elle éteint la chaîne stéréo. » Liz sourit : « C'est vrai. Je n'arrive pas à me concentrer ou à lire avec un fond sonore, tandis que lui pourrait écouter de la musique en permanence. »

Leur témoignage se distinguait de ceux d'autres conjoints moins unis, non par la teneur de leurs paroles, mais par leur complicité manifeste, leurs rires et leur absence d'agressivité. Leurs propos se résumaient à : « Depuis quarante ans, j'allume la chaîne et tu l'éteins. C'est une différence entre nous. » Ce fait était exprimé comme une simple observation, sans les sous-entendus et interprétations typiques des couples plus instables, comme « Tu ne me respectes pas, tu ne te soucies pas de moi, si tu m'aimais vraiment, tu… »

Au sein d'une relation durable, les deux partenaires comprennent qu'ils doivent s'accepter mutuellement, avec leurs dissemblances. Je me trouvais en compagnie de Kenneth et Margaret, mariés depuis près de cinquante ans, à une réunion de Quakers chez un ami. Au moment de partir, Kenneth dit au revoir à nos hôtes et se dirigea tranquillement vers sa voiture. Je le suivis, tandis que son épouse continuait à bavarder avec tous les convives. Au bout de dix minutes, je suggérai à Kenneth : « Tu veux que j'aille lui rappeler que nous l'attendons ? » « Oh non, me répondit-il en souriant. J'y ai renoncé depuis bien longtemps. »

Il se dégage un thème commun à toutes ces réflexions : l'affection. « Il ou elle est comme ça. » Les conjoints heureux constataient et chérissaient les différences et les manies de l'autre, même si elles entraînaient des inconvénients.

Cela me renvoie à l'expression bouddhiste « abandonner l'espoir ». Abandonner l'espoir de changer les petits détails chez son partenaire. Abandonner l'espoir qu'il soit à l'heure, qu'elle cuisine mieux, qu'il range ses affaires, qu'elle perde dix kilos, qu'il sache équilibrer son budget. Demandons-nous alors : « Comment serait notre vie si je l'acceptais tel qu'il ou elle est ? Et si, dès aujourd'hui et pour toujours, je cessais de lui ressasser les mêmes critiques, d'insinuer de subtiles suggestions ou de lui laisser des petits mots sur la table afin de l'inciter à se corriger ? » Maggie appliqua ce principe face à son compagnon, régulièrement en retard pour leur randonnée dominicale.

« La dernière fois, lorsque j'ai senti l'irritation monter, je me suis dit : "Non, je n'ai pas envie de me mettre en colère." Puis l'expression "abandonner l'espoir" m'est venue à l'esprit et j'ai pensé : "Il est comme ça. Il ne sera jamais prêt à l'heure le dimanche après-midi." Cela m'a rappelé toutes les fois où moi-même j'étais en retard, parce que désorganisée ou surchargée. Aussitôt, je me suis calmée. J'ai balayé la cuisine, rangé le linge, et j'ai pu l'accueillir avec le sourire lorsque enfin il est rentré. Le scénario habituel aurait voulu que je lui fasse une scène et qu'il se sente coupable, ce qui n'aurait pas manqué de gâcher ce moment de détente partagée. »

Dès lors que nous abandonnons l'espoir, nous sortons de cette routine si profondément enracinée, établie au travers de nos réactions prévisibles. Nous commençons à accepter l'autre comme un tout. Cela ne signifie nullement jouer les martyrs ou ne jamais exprimer ce qui nous dérange. Simplement, si nous parlons, c'est pour révéler ce que nous éprouvons et non pour changer l'autre. Nous reconnaissons qu'il continuera sans doute à se conduire de la même façon et nous pouvons choisir de nous en offenser ou de l'accepter – si possible avec le sourire.

Force, courage, persévérance

> *En premier lieu, la pratique [de l'art d'aimer] requiert de la discipline.*
> Erich Fromm, *L'Art d'aimer*

La force, le courage, la persévérance reposent sur un engagement à être « dans » la vie, à affronter les événements en tant que couple et à représenter l'un pour l'autre un refuge. Les propos de Maggie concernant les problèmes causés par sa dépression illustrent bien cette idée.

« Des années durant, j'ignorais que mes moments de froideur, mes besoins de repli, d'isolement provenaient d'une dépression. Et cela pesait sur nous deux comme un fardeau. Mon compagnon me témoignait une fidélité infaillible et supportait mes sautes d'humeur, constantes et sans raison apparente. Je croyais mon insatisfaction due à ses défaillances et je lui en faisais porter la faute. Mon esprit avait simplement besoin de trouver une cause tangible à ces sentiments irrationnels. Au départ, il réagissait avec colère, mais nous tenions tant l'un à l'autre que nous surmontions toujours ces querelles. »

Tous les couples interviewés partageaient cette même idée : rester ensemble dans la richesse comme dans la pauvreté, dans la santé comme dans la maladie, pour le meilleur et pour le pire. Parfois, les épreuves traversées duraient des années – enfant handicapé, difficultés financières. Mais ils affrontaient les problèmes avec un esprit d'équipe. Comme ils me l'ont confié : « Nous sommes toujours partis du principe que nous étions engagés à long terme. Nous n'avons jamais songé à la séparation. Dans les moments difficiles, nous tenions bon. C'était parfois pénible, mais nous nous aimions et nous étions unis par un lien profond. »

Patience, appréciation et connexion

« Merci de m'avoir supporté toutes ces années. »

Brian, marié depuis quarante-deux ans

Dans un mariage heureux, les conjoints entretiennent leur lien en exprimant ouvertement et sincèrement combien ils s'apprécient. Il peut s'agir d'un geste, d'une caresse, d'un merci, d'un poème, d'une gentille attention ou de tout autre témoignage d'affection. Souvent, cela consiste simplement à reconnaître ce qu'a fait l'autre – le repas qu'elle a cuisiné, la fuite qu'il a réparée, l'enfant qu'elle a consolé en pleine nuit. Parmi tous ceux que j'ai rencontrés, la plus grande reconnaissance formulée touchait aux périodes difficiles traversées ensemble ou aux situations où l'un des deux était malade ou émotionnellement fragile. En voici quelques exemples…

« Linda a dû supporter toutes ces années où je voyageais pour mes affaires et où je bâtissais ma carrière, alors que nos enfants étaient encore petits. Avec le recul, je ne sais pas comment elle a fait pour gérer cela toute seule. »

« Il m'a incitée à faire un discours devant tous les fidèles de notre paroisse, alors que j'avais une peur terrible de parler en public. Il s'est montré si fier de moi. »

« Haley me complimente de manière incroyable et me montre souvent combien elle m'apprécie. Cela m'étonne toujours, parce que ma précédente épouse me critiquait tout le temps. Rien que d'y penser, je me sens encore mal aujourd'hui. »

« Il m'écoute me lamenter au sujet de ma mère jusqu'à la nausée. Je me demande comment je pourrais supporter ce que je lui fais subir. »

Ce dernier témoignage sur la patience de son conjoint souligne une autre caractéristique des couples unis : leur capacité à se décrire sous leur jour le moins glorieux, à se mettre à la place de l'autre, et à exprimer ouvertement leur reconnaissance.

La gratitude explicite et sincère agit comme un baume bienfaisant. Mais elle se doit d'être authentique : inutile de se montrer complaisant si on éprouve de la colère ou de l'entêtement. Dans les mariages conflictuels, les conversations tournent le plus souvent autour de ce que l'autre n'a pas fait. Des couples moins harmonieux ne se dégage pas ce courant d'affection et d'appréciation mutuelles, mais plutôt un déversement douloureux de critiques, de désapprobation, de distance et de piques, laissant l'autre avec l'impression de ne pas avoir fait assez ou assez bien. On dirait qu'un mur de peur, de souffrance et de colère leur barre le chemin. Or, afin de comprendre notre résistance à donner, nous devons explorer les blessures enfouies dans notre cœur.

La manifestation de notre reconnaissance constitue le carburant de l'amour. Nous nourrissons notre lien en disant : « Tu comptes tant pour moi. Quelle chance j'ai d'être avec toi ! » Et nous déclarons cela sans nous retenir, sans nous protéger, sans calculer, sans attendre le moment opportun. Nous offrons notre gratitude sans rien demander en retour.

Opposition, résistance

> *Votre âme est souvent un champ de bataille où votre raison*
> *et votre jugement combattent votre passion et votre appétit…*
> *Car la raison, régnant seule, restreint tout élan ; et la passion,*
> *abandonnée à elle-même, est une flamme qui brûle jusqu'à sa propre*
> *destruction.*

Khalil Gibran, *Le Prophète*

De même que nous sommes en proie à des conflits intérieurs, l'opposition et la résistance se révèlent naturelles et nécessaires au sein de nos relations. Or, dès lors que nous considérons le conflit comme l'autre face de la paix et de l'intégrité, nous parvenons mieux à nous ouvrir à notre partenaire, au lieu de nous murer ou de nous dissimuler derrière un sourire factice.

Dépasser les tensions et les blocages conduit souvent à une plus grande proximité. En effet, cela implique que, dans ce processus, nous ayons révélé de plus profonds aspects de nous-mêmes. Lorsque nous découvrons des moyens de gérer nos différences et nos différends, nous éprouvons une sorte de fierté à former une véritable équipe et à avoir résolu le problème. Nous n'avons pas été consumés par les flammes, elles nous ont transformés.

Comme l'explique Haley : « Si Paul se met en colère, je le prends comme un compliment. Cela signifie qu'il me fait confiance et qu'il est honnête envers moi. Je souhaite savoir ce qu'il éprouve. De même, si quelque chose me déplaît, je le dis sans détour. Je n'ai nullement envie de contrôler mes paroles en permanence. Ainsi, tout est clarifié immédiatement. »

L'étincelle, la chaleur, l'humour circulant harmonieusement entre Haley et Paul lorsqu'ils me parlèrent illustrent bien l'amour et la liberté qu'éprouvent les couples engagés ensemble sur un chemin de vérité.

La capacité à s'ouvrir et à se laisser porter dans une relation devient plus accessible dès lors que nous nous détachons des règles et des images figées de ce qui « devrait être », pour nous autoriser à réagir spontanément au moment présent. Dans la philosophie zen, cette ouverture est parfois appelée l'« esprit du débutant ».

⑤ Découvrir la liberté d'un esprit neuf

> *La pratique zen de la calligraphie consiste à écrire de la façon*
> *la plus directe et la plus simple, comme si l'on était un débutant,*
> *sans essayer d'obtenir quelque chose d'habile ou de beau,*
> *mais simplement en traçant les lettres avec une pleine attention,*
> *comme si l'on découvrait ce qu'on écrit pour la première fois ;*
> *alors, notre vraie nature se manifestera dans notre écriture.*
>
> Introduction de *Esprit zen, esprit neuf*
> de Shuryun Suzuki

Imaginons que nous redécouvrons l'être aimé pour la première fois chaque jour, simplement en étant présents, comme s'il s'agissait perpétuellement d'une nouvelle rencontre. Cette liberté de se retrouver de manière aussi ouverte et lumineuse requiert un esprit libre de toute attente, pensée et image préconçue.

Le bouddhisme nous rappelle que l'« expert » ne dispose pas d'espace vacant pour apprendre, alors que le débutant possède un esprit vierge, susceptible de tout absorber. Nos nombreuses croyances rendent toute perspective d'écoute et d'apprentissage effrayante, car cela risque d'ébranler les tenaces structures mentales par lesquelles nous pensons nous définir. En revanche, si nous cessons de nous identifier à nos pensées et à nos convictions, nous pouvons regarder dans les yeux de l'autre et, de tous nos sens, percevoir ce qui se trouve dans son cœur et son esprit.

Il est très difficile pour un esprit occidental de comprendre que la relation à autrui et la spiritualité résident dans l'expérience, et non dans les concepts et les idées. Mais comme l'amour dépasse les mots, il est crucial de dépasser le rationnel. Si nous nous sommes forgé une vision prédéfinie de ce à quoi notre partenaire devrait ressembler, de ce qu'il devrait penser, de sa façon de parler ou de faire l'amour, nous l'enfermons dans la camisole de notre fantasme, au lieu de tisser un lien authentique par une rencontre mutuelle dans l'instant présent. Shuryun Suzuki introduisit pour la première fois la notion d'« esprit du débutant » dans son ouvrage de référence, *Esprit zen, esprit neuf* (publié en 1970). Dans sa préface, Richard Baker précise : « L'esprit zen est une de ces expressions énigmatiques, employées par les maîtres zen pour vous renvoyer à vous-même, pour vous inciter à voir en deçà des mots et commencer à vous interroger. "Je sais ce qu'est mon esprit, vous dites-vous, mais qu'est-ce que l'esprit zen ? Se trouve-t-il dans ce que je fais en ce moment ? Correspond-il à ce que je pense en ce moment ?" L'innocence de cette première recherche – le fait de vous demander seulement ce que vous êtes – est l'esprit du débutant. »

Dans nos sociétés occidentales, on nous apprend à amasser des connaissances et à recourir à la logique pour comprendre les choses, ou pour faire qu'une relation fonctionne. Selon les principes zen, nous devons plutôt laisser l'expérience résonner en nous.

Comment s'achemine-t-on vers cet esprit neuf ? Tout d'abord en comprenant qu'une croyance n'est qu'une croyance, une forme d'énergie, et non une chose concrète ou solide. Ensuite, en découvrant que notre psychisme est conditionné par des pensées et des croyances basées sur des souvenirs du passé. Très tôt dans l'existence, notre esprit de débutant se trouve submergé de sentences, par exemple : « Non, tu ne dois pas peindre le ciel en vert. » « Quelle gentille petite fille, si docile et obéissante ! » « Un grand garçon comme toi ne pleure pas. » « C'est bien. » « C'est mal. »

En nous basant sur notre perception de la façon dont on nous a traités, nous avons tiré des conclusions sur nous-mêmes, par exemple : « Je suis indigne d'amour, dénué de valeur, invisible, incapable. » Et nous avons accumulé un entrelacs de pensées et de croyances interdépendantes puis les avons intégrées à notre identité : « Je suis comme ci, je suis comme ça, je, je, je… » Lentement mais sûrement, nous sommes devenus prisonniers d'une petite cellule nommée « moi », qui nous a séparés des autres.

Il existe un moyen puissant d'accéder à l'esprit du débutant, la fameuse « question quantique » de Stephen Wolinsky : « Sans esprit, sans souvenirs, sans perceptions, sans interprétations, sans croyances, sans attentes, qu'est-ce que le bonheur ? Qu'est-ce que l'amour ? Que se passe-t-il en moi ? Pour quelles raisons nous disputons-nous ? » Si nous nous penchons sur cette interrogation, procédons lentement, en imaginant que notre esprit, nos souvenirs, nos perceptions se dissolvent dans l'air léger. Cela nous donnera peut-être une sensation de vide, ou l'impression de tomber. En effet, si nous abandonnons le mental, nous ne disposons d'aucun mot pour décrire notre expérience. Elle se résume à l'ici et maintenant.

Nous nous rappelons tous l'un de ces moments si riches et si merveilleux que nous ne souhaitions pas en parler, de peur d'en minimiser la prodigieuse intensité, inexprimable en mots. Si nous cessons de nous identifier à nos pensées, nous sommes plus libres d'inventer, de créer et de jouir des simples plaisirs de l'existence. Le quotidien nous procure constamment de la joie lorsque nous vivons chaque expérience comme si c'était la première fois.

Cette approche de novice nous permet d'écouter l'autre avec intérêt, acquiesçant de la tête ou ponctuant ses propos de paroles attentives, au lieu de nous répandre en commentaires et en conseils fondés sur nos conjectures et nos croyances passées. Avec un esprit vide, exempt de crainte et d'appréhension, nous ressentons une source limpide de liberté déversant ses ondes au cœur de notre couple.

Cela n'implique ni de renoncer à nos tâches quotidiennes, ni de ne plus partager nos préoccupations avec notre partenaire. Cela signifie simplement que nous insufflons de l'air, de l'espace dans nos croyances, nos sentiments, nos désirs. Nous apprenons à prendre du recul, à rire de nos drames, à voir le rôle que nous jouons dans leur survenue.

À mesure que nous nous ancrons dans l'expérience plutôt que dans la pensée, nous éprouvons un plus large éventail d'émotions. Parfois aussi, un bonheur serein et un désir de simplicité se glissent dans notre existence. Depuis ce lieu de calme et de quiétude, nous pouvons plonger nos yeux dans ceux de notre amour et, de notre regard, lui poser la question : « Qui es-tu ? » et nous sentir assez paisibles pour entendre la réponse. Cela nous apporte un souffle de liberté – un espace au-delà des mots, concepts et croyances, un endroit où nous reposer tranquillement dans un silence à la fois réceptif et ouvert, une place toute simple et familière.

⑥ Se mettre à l'écoute de soi-même et de l'être aimé

À peine je bronche, presse ou frôle de mes doigts, que je suis heureux.
Walt Whitman, *Feuilles d'herbe*

Avec un esprit neuf, nous nous mettons au diapason de nous-mêmes, ainsi que des gens et circonstances qui nous entourent. Nous devenons réceptifs à tous nos sens : au langage du corps, au ton de la voix, au rythme du mouvement, à l'aisance physique, à la profondeur de la respiration. Nous ne cochons pas une liste quelconque ni ne jugeons qui que ce soit. Simplement, tous nos sens sont en éveil. Cela nous apporte une impression intérieure de sécurité, car nous évaluons avec plus de clarté une situation et notre réaction face à elle. Notre corps devient le baromètre de la vérité : « Je vois cela comme une excellente idée », « Cela sonne juste à mes oreilles », « Je ne me sens pas enclin à faire cela », « Mon estomac s'est noué quand j'ai entendu cela. »

Nous n'avons pas besoin de mots pour savoir que quelque chose cloche. Il nous suffit de décrire notre malaise ou nos sensations, comme s'il s'agissait d'un bulletin météorologique.

Il convient ici de distinguer entre cette écoute sensorielle et l'hypervigilance – une caractéristique commune aux enfants élevés dans des familles dysfonctionnelles et victimes de violences physiques ou émotionnelles. En effet, l'hypervigilance est une protection issue de la peur. Notre mécanisme réactionnel de lutte ou de fuite est perpétuellement en alerte, guettant le moindre signe de danger. Cette arme défensive de survie, extrêmement stressante, se déclenche souvent aux dépens d'une réflexion intérieure sur la source de notre peur. Elle s'ancre dans notre système nerveux et se généralise à toute situation similaire. Adultes, nous restons hypervigilants face au plus petit indice signalant que nous ne sommes pas aimés, appréciés, secourus, comme si nous voyions chaque chose à travers un filtre déformant, issu du passé, pour remarquer seulement les éléments conformes à notre définition limitée de nous-mêmes.

L'écoute authentique résulte d'un état de détente et de réceptivité, motivé par un désir de savoir, de comprendre, et d'être en harmonie avec nous-mêmes et autrui. Le but n'est pas la sécurité, mais le lien. Dans l'hypervigilance, notre scanner est pointé vers l'extérieur ; alors nous ne recherchons pas cet écho intérieur, résonnant en nous-mêmes et avec l'autre.

Pour accéder à cette union interne, prenons une inspiration et expirons profondément, détendons nos épaules, relâchons notre ventre, courbons un peu le dos, pour diriger notre vision vers l'intérieur. Ensuite, sondons notre corps comme si nous le parcourions munis d'une lampe de poche, à la recherche des points de tension, de calme, de peur, de pensée, de jugement, et des zones de légèreté, de liberté. Se mettre au diapason de soi équivaut à explorer son être comme on joue d'un instrument.

Tous les musiciens commencent par apprendre une note ou une courte mélodie. Puis, avec un entraînement quotidien, ils en arrivent à interpréter des symphonies complexes. De même, réservons-nous un peu de temps chaque jour pour nous écouter, par le biais de la méditation. Un de mes amis avait réglé sa montre pour qu'elle sonne toutes les heures, afin de lui rappeler de régulièrement prendre une grande inspiration, souffler profondément et se demander : « Qu'est-ce que je ressens en cet instant ? » Il n'y consacrait que quelques minutes par jour, mais cela a changé sa vie. Sous sa forme aboutie, cet accord se traduit par un courant de conscience, sillonnant notre existence, qui nous unit à l'autre, à mesure que nous nous dépouillons de notre enveloppe pour pénétrer dans le flux de la vie ensemble.

Les conjoints se mettent au diapason l'un de l'autre au travers d'interrogations simples : « Comment s'est passée ta journée ? », « Quelque chose te préoccupe ? », « Ton entrevue avec ton patron s'est-elle bien déroulée ? » En posant des questions et en écoutant attentivement notre partenaire, nous l'aidons à s'écouter plus attentivement lui-même.

Cette réceptivité de tous nos sens recèle une prodigieuse magie. Je pense notamment à cet ami qui sait écouter en silence, avec une concentration totale et un regard soutenu. Quand je lui parle, j'ai l'impression qu'il accueille chacune de mes paroles, l'esprit vide de toute pensée. Cela m'amène parfois à m'entendre si clairement que j'éprouve une plus grande conscience de moi-même. Je prête alors davantage attention à mes paroles et je m'efforce d'exprimer l'essence de mes pensées.

Quand nous arrivons à nous écouter mutuellement ainsi, depuis ce profond silence intérieur, c'est comme si notre souffle pénétrait le cœur de notre aimé, et nous fusionnons dans l'unité. À travers la fenêtre de notre esprit, nous voyons véritablement en l'autre.

autour de nous sont là pour satisfaire nos besoins. Entre six et neuf mois, nous découvrons – et c'est alors un choc – que nous sommes un individu séparé et non le centre de l'univers : notre mère s'occupe d'autres personnes aussi. Au fil du temps, nous comprenons cette douloureuse évidence : nous n'obtenons pas systématiquement ce que nous voulons, nous devons attendre ou partager, nos parents ou éducateurs ne sont pas toujours souriants et heureux. Avec de la chance, dans une atmosphère compréhensive et bienveillante, nous apprenons que faire partie d'un « Nous » peut se révéler positif et valoir le sacrifice de renoncer à l'assouvissement de tous nos désirs.

Cette danse à trois, cette recherche d'équilibre entre le Je, le Tu et le Nous, imprègne notre vie à mesure que nous grandissons : à l'école, dans nos équipes de sport, dans nos activités, nous sommes confrontés à de nombreux conflits entre l'appartenance au collectif et la fidélité à nous-mêmes. Parfois, nous choisissons de nous conformer au groupe et de bâillonner nos sentiments et nos opinions ; parfois, nous optons pour notre intégrité personnelle, et nous nous sentons isolés. Finalement, si tout se passe bien, nous nous orientons vers des gens avec lesquels nous pouvons exprimer notre authenticité tout en conservant un sentiment d'appartenance. Si certains parviennent facilement à cet équilibre dès leur plus jeune âge, d'autres ne rencontrent un cercle présentant à la fois une dimension de cohésion et de validation qu'à la fin de l'adolescence, à l'université, ou plus tard encore, voire jamais.

Chez certains, la notion d'intégrité, de fidélité à soi-même a été enfouie sous un strict endoctrinement à un ensemble de valeurs et de comportements rigides, utilisé pour mesurer leur loyauté aux parents, à la famille. Ainsi, au lieu de nous forger nos propres croyances et valeurs à partir de notre expérience et de nos observations, nous avons absorbé ce qui nous a été inculqué puis tout cela s'est fossilisé en nous. Notre fonctionnement s'est articulé autour d'une litanie de règles et de devoirs, nous nous sommes de plus en plus éloignés de nous-mêmes.

Pour créer cette trinité du Je, Tu, Nous, nous devons avoir suffisamment intégré notre moi séparé : cela nous permet alors d'aborder l'autre sans crainte de nous laisser engloutir. Sinon, nous vivons dans la peur. Nous restons sur nos gardes, ne donnons qu'à moitié et nous sentons coupés en deux – un pied dans la relation, un pied en dehors. Si nous éprouvons une assurance suffisante pour nous ouvrir totalement à autrui, sans redouter de nous perdre, nous restons entiers au sein même du couple. Telle est la fondation du Nous : deux individus bien définis qui peuvent être séparés mais capables de s'unir.

Au sein d'un Nous véritablement porteur, nous sommes davantage à deux que nous ne serions chacun seul. Il s'agit d'une forme d'alchimie : le mélange et la transformation de deux substances en quelque chose de nouveau, comme la graine et l'eau donnent naissance à la plante. Nous devenons ce corps partagé, ce cœur partagé, qui s'ouvrent à la découverte de l'immensité de l'amour et de l'union. Les conjoints heureux tissent leur vie ensemble, entrelaçant les fils de leurs tempéraments, besoins, centres d'intérêt, passions et niveaux d'énergie respectifs. Ils savent souvent ce que l'autre pense, ils se font écho et pourtant gardent leur propre identité. Depuis ce lieu de chaleur et de réconfort que constitue le Nous, chacun se sent suffisamment en sécurité pour révéler ses peurs, ses joies, ses soucis, car le lien est assez solide pour résister aux émotions fortes, susceptibles de jaillir. Et cela même soude les deux partenaires plus profondément encore.

Chez les couples harmonieux, il apparaît clairement que le mariage constitue la priorité suprême. Quelles que soient les exigences de leur travail ou la force de leurs passions individuelles, la relation reste primordiale et constitue le fondement de leur vie.

Cette conscience du Nous, inhérente à une union d'amour, s'étend naturellement au-delà du couple, pour embrasser un plus grand Nous : la toile géante de la vie où tous les êtres sont indissociablement liés.

❷ Vivre dans le Nous

Tu m'écartes doucement de toi
Comme le chant de la flûte éloigne la colombe des toits.
Et avec le même chant
Tu me rappelles à toi.
Tu me pousses vers de nombreux voyages ;
Puis Tu m'ancres dans l'immobilité complète.

Rumi

Le Nous prend vie dès lors qu'au sein de notre union nous souhaitons le meilleur pour l'un et pour l'autre. Il s'agit d'une conscience permettant simultanément de prendre en compte nos propres besoins, ceux de notre couple et ceux de notre conjoint. Cela ne signifie pas que nous nous sacrifiions pour la relation, mais cela veut dire que nous négocions ensemble, en toute confiance, car nous savons que notre partenaire souhaite notre épanouissement et notre bonheur.

Lors de mes entretiens avec des couples mariés depuis des années, se dégageait entre les conjoints cette impression de confort, patiné par le temps et issu d'une réelle connaissance réciproque. C'était vraiment le Nous qui venait me rencontrer, en plus des deux individus séparés. L'échange constant de regards complices, de petits rires, de gestes affectueux révélait toute une richesse de points de connexion. Ces hommes et ces femmes chicanaient sur les détails de leur rencontre, se montraient curieux d'entendre les réactions de l'autre, émettaient des commentaires humoristiques.

Chacun de ces couples se présentait comme une composition unique, dotée de son propre rythme et de ses tonalités particulières. Entre Liz et Charles, c'était une suite rapide de reparties, d'interruptions, de plaisanteries, de contradictions vives et joyeuses. Ainsi, Charles commença : « Je ne suis pas très sociable, contrairement à Liz. » Aussitôt, celle-ci répliqua : « Oh, Charles, tu as de très bons rapports avec les autres. » « Oui, mais pas comme toi : tu arrives à te lier avec tout le monde. »

Dan et Jessie, quant à eux, donnaient plutôt l'image de deux longues mélodies entremêlées. L'un écoutait intensément tandis que l'autre parlait, puis répondait très posément.

Le dénominateur commun chez tous ces conjoints ? Un flot spontané de compliments et de validations. Abordant leur plaisir partagé à assister aux matchs de basket féminin, Liz lança dans un sourire : « Peut-être Charles adore-t-il ce sport parce qu'il aime regarder de belles filles. » Rougissant un peu, il se tourna vers son épouse et répondit : « C'est vrai, je l'avoue. » Puis, lui effleurant tendrement le genou, il ajouta : « C'est pour cela que je t'ai épousée. »

Qu'ils évoquent leur première rencontre, l'éducation de leurs enfants, la mort de leurs parents ou leur vie sexuelle, les propos de ces couples affirmaient leur union. C'était comme s'ils déclaraient, par leurs paroles et leurs attitudes : « Notre relation nous appartient. C'est notre couple, notre mariage, notre amour, notre vie ensemble, et nous en assumons tous deux la responsabilité. »

③ Créer une plus grande conscience du Nous

Si nous sentons que notre couple devient instable, sachons-le : il existe des moyens de le renforcer. Comme pour tous les comportements, il faut au préalable en comprendre l'objectif avant de les adopter, afin de ne pas se limiter à suivre des consignes à l'aveuglette. Si nous essayons une nouvelle attitude dans l'unique but de bien faire, le résultat semblera faussé, emprunté. En revanche, si nous sommes mus par une intention d'amour, cette authenticité transparaîtra dans toute sa clarté, en dépit des maladresses.

Il peut se révéler utile de ne choisir, dans la liste ci-dessous, qu'un ou deux principes adaptés à notre personnalité ou à notre situation, et de nous concentrer dessus durant plusieurs mois. Par exemple, si nous tendons à nous replier sur nous-mêmes, nous pouvons tenir un carnet de bord quotidien et noter les circonstances déclenchant cette réaction de retrait. Ainsi, nous nous interrogerons : « Que se passe-t-il en moi ? De quoi ai-je peur ? Existe-t-il un réel danger, ou cela répond-il à un automatisme ? » Ensuite, nous avouerons à notre partenaire : « Je suis désolé d'avoir pris de la distance, cela n'avait rien à voir avec toi. »

Au fond, toutes ces suggestions s'articulent autour des mêmes notions fondamentales : abandonner les attachements, dépasser la peur et vivre dans l'ici et maintenant.

Réfléchir à ce que nous avons à gagner en créant un Nous

Imaginons une intense impression de confort et de proximité, de connexion et de liberté intérieure. Si la notion de rapprochement évoque pour nous le renoncement à notre liberté, songeons à la joie et à la chaleur émanant du fait de donner, d'aimer, de se sentir uni et en sécurité avec l'autre.

Apprendre le langage et l'état d'esprit du Nous

L'état d'esprit du Nous se manifeste dès que nous ressentons la présence de notre partenaire dans notre cœur. Comme nous apprécions et chérissons notre union, nous pensons automatiquement à l'impact de notre comportement sur l'autre. Vient-elle de passer sa journée seule à la maison, à s'occuper de notre bébé ? A-t-il besoin d'un moment intime avec moi ? Cette mentalité du Nous implique de ne jamais tenir l'autre pour acquis. Nous entretenons la relation de façon constante et assidue, non parce qu'il le faut mais parce qu'elle alimente la source de notre amour. C'est avec plaisir que nous apportons de la joie à notre partenaire.

La conscience du Nous pousse à rechercher ensemble des solutions viables, plutôt que de proférer des accusations. Par exemple, dire « J'aimerais que nous parlions de notre vie sexuelle » souligne l'existence du couple comme entité, par opposition à la récrimination : « Je n'aime pas ta façon de me faire l'amour. » Voici d'autres exemples de formules émanant du

Nous : « Et si nous parlions de ce que nous allons faire ce week-end ? », « Pouvons-nous discuter de la manière dont nous éduquons nos enfants ? », « Et si nous essayions de nous mettre d'accord sur le partage des tâches ménagères ? »

Nous demander régulièrement si nous générons la proximité ou la séparation.

Si nous nous surprenons à critiquer ou à juger notre partenaire, à dresser mentalement la liste de ses défauts, imaginons ce que nous éprouverions à sa place. Regardons l'autre dans les yeux pendant que nous l'incriminons. Que voyons-nous ? Comment réagit son corps ? Quelle réaction pouvons-nous anticiper de sa part ? Pensons ensuite à nous-mêmes. Nous sentons-nous blessés ? Avons-nous un besoin quelconque ?

Prenons le temps de nous rappeler que notre aimé est un être précieux, une âme tendre, tout comme nous, imparfaite et humaine. Trouvons des manières plus douces d'exprimer notre insatisfaction. Au lieu de grogner : « Tu ne pourrais pas lâcher ce téléphone deux minutes ! », disons plutôt : « J'aimerais que tu me consacres du temps ce soir et que nous branchions le répondeur. J'ai envie que nous soyons vraiment ensemble tous les deux. » Remarquons la différence d'impression entre proximité et distance. Comment cela se traduit-il dans notre corps ? Dans notre cœur ? Savons-nous quand nous avons peur ? Une relation doit être considérée comme un écosystème, dans lequel chaque élément affecte tous les autres. Notre voix, notre position, nos paroles, notre attitude génèrent la fluidité ou le stress.

Éviter les décisions unilatérales

Une décision unilatérale signifie entreprendre une action ou opérer un choix sans en parler au préalable avec notre partenaire. Il peut s'agir d'un achat important, d'une démission, d'une invitation à dîner, d'un déplacement de plusieurs jours. Ce type de comportement piège l'autre, alors forcé de choisir entre l'acquiescement ou le refus. Or, lorsque nous acquiesçons, nous renions souvent nos propres besoins et en concevons du ressentiment ; de l'autre côté, si nous refusons, nous apparaissons comme « l'empêcheur de tourner en rond », celui qui se montre désagréable et qui provoque la dispute.

Il convient d'éviter les décisions unilatérales dans les petits détails du quotidien comme dans les domaines importants de la vie – le travail, le logement, les enfants. Voici un exemple pour illustrer cette idée. Elle entre dans le salon, où son conjoint est en train de lire, et elle allume la télévision. Il est alors confronté à l'alternative suivante : ou il accepte sans broncher, ou il lui lance : « Je préférerais que tu éteignes le poste », ce qui peut déclencher une altercation. En revanche, si elle propose : « J'aimerais regarder cette émission. Cela ne te dérange pas ? », elle reste dans l'espace du Nous et une solution est possible : l'un des deux peut se réfugier dans la chambre, elle peut mettre un casque, ou négocier d'une manière ou d'une autre. L'important reste d'agir en gardant le Nous à l'esprit.

Dépasser la superficialité du comportement pour chercher l'intention positive

Derrière chacun de nos comportements, existe une intention positive sous-jacente – généralement un désir d'amour, de lien, de puissance, d'affirmation de soi, de réconfort ou de soulagement de la souffrance. Quand nous devenons insistants, que nous nous répétons, c'est avec l'intention positive de nous faire entendre ; quand nous nous isolons, c'est pour cacher notre embarras ; quand nous parlons à tort et à travers, c'est pour dissimuler notre insécurité ; quand nous crions, c'est pour couvrir notre honte ; quand nous prodiguons des conseils non sollicités, c'est pour créer un lien ou nous sentir importants et utiles. Tous ces comportements peuvent sembler agaçants ou maladroits, mais ils ont rarement une motivation malveillante. Si nous cherchons l'intention positive, nous devenons plus compréhensifs – ce qui entraîne davantage la compassion que la séparation.

Ce concept s'applique autant à nous qu'aux autres. Si nous nous mettons en colère, si nous mentons, si nous donnons des ordres, si nous prenons peur, nous pouvons nous demander : « Quelle est l'intention positive cachée ? De quoi ai-je besoin ? Quel comportement serait plus approprié ? Comment puis-je me montrer plus direct ? » Nous pouvons réfléchir à notre conduite, plutôt que de tomber dans le cercle vicieux du jugement et de l'autocritique, qui amène habituellement à reproduire le même schéma indésirable.

De même, en découvrant l'intention positive chez autrui, nous pouvons alléger une situation difficile en demandant : « Que veux-tu de moi ? Comment puis-je t'aider ? Qu'essaies-tu de me dire ? » Dès lors que nous apprenons à tendre la main pour décrypter la confusion et la douleur de l'autre, nous le rejoignons dans le Nous et nous rapprochons de la compréhension.

Trouver le réconfort au sein du lien, se rapprocher au lieu de s'isoler

Bien souvent, les individus se renferment lorsqu'ils se sentent contrariés. Il s'agit d'un réflexe archaïque : j'éprouve trop d'embarras, de peur ou de honte, et je ne veux pas qu'on me voie dans cet état. Alors, prenons cela comme un défi : la prochaine fois que nous ressentons de la souffrance ou de la colère, résistons à l'envie de nous renfermer et demandons à notre partenaire de rester auprès de nous.

Cela peut consister à s'asseoir ensemble en silence, à solliciter des conseils ou à se toucher mutuellement. Un contact physique affectueux envoie un message instantané au cerveau et au système nerveux, et aide à modifier les croyances conditionnées. Par exemple : « Je me sens mal, donc je suis une mauvaise personne » peut devenir : « Je me sens blessé et je peux être réconforté. » Si nous prenons systématiquement nos distances au premier signe de souffrance, nous renforçons notre conviction selon laquelle nos blessures nous rendent indignes. De surcroît, en maintenant une proximité avec l'autre, nous obtenons du réconfort et nous permettons à notre partenaire de nous rejoindre, insufflant ainsi un sens plus profond à la relation et au Nous.

Cela n'implique pas de nous interdire tout moment d'isolement, si nous éprouvons le besoin de nous calmer ou de nous recentrer. Simplement, plus nous trouvons les moyens de nous relier à travers nos douleurs et nos différences, plus nous contacterons ce lieu de tendresse dans notre cœur, et plus nous comprendrons que nous ne sommes pas seuls.

S'ouvrir et parler de soi

Afin de former un véritable couple, nous devons partager nos expériences quotidiennes. Peu importe que nous le fassions maladroitement. L'important est de nous ouvrir et de parler de nous-mêmes. C'est une manière de transmettre à l'autre : « Je suis là avec toi. Tu comptes pour moi. » Racontons notre journée : à quoi avons-nous pensé ? de quoi avons-nous ri ? qu'est-ce qui nous a déçus ? Exprimons nos peurs, nos insécurités, nos doutes, ainsi que nos réussites et nos satisfactions. Si cela se révèle difficile et que nous sommes à court d'idées, commençons seulement par : « Je ne sais pas trop quoi dire », ou bien : « J'hésite, j'ai un peu peur de t'ennuyer. » Tout plutôt que le silence et l'indifférence. Nous pouvons même avouer : « Ne crois pas que cela me soit égal. C'est juste que j'ai du mal à parler. » Une telle confession ne peut que susciter l'empathie.

L'autre partie de l'équation consiste, bien sûr, à écouter notre conjoint avec un réel désir de compréhension et de connexion. Point n'est besoin de commenter, de conseiller, de rectifier : il suffit d'écouter.

Les personnes à qui cette notion de Nous reste étrangère ont très probablement gardé du passé une blessure ou un traumatisme non résolu, qui a généré en elles ce besoin de se protéger ou de ne penser qu'à soi. Dans ce cas, une psychothérapie peut aider à l'exploration pour assouplir la carapace rigide qui rend si effrayante l'idée de se rapprocher d'autrui. Certaines personnes ont dû tellement se battre pour survivre qu'elles sont terrifiées à l'idée de lâcher prise et de laisser paraître leur fragilité. Il leur semble impossible d'être à la fois vulnérables et en sécurité.

Si tel est notre cas, essayons de prononcer mentalement cette formule : « C'était avant. C'est maintenant. » Identifions ce que nous ressentons dans notre cœur, dans notre corps. Respirons. Restons dans le présent.

Testons le Nous dans de menus détails. Révélons une petite chose très personnelle et voyons ce qui se produit. Puis franchissons une autre étape, et une autre encore. Nous n'obtiendrons pas toujours la réponse espérée, mais nous nous sentirons plus vivants, car nous aurons ouvert la porte de notre monde intérieur et en retirerons une plus grande impression de complétude.

❹ Ressentir le pouvoir bienfaisant du lien

J'appartiens à mon aimé,
J'ai vu les deux mondes unis en un seul...

Rumi

Une relation de couple pleine et riche apporte bien des récompenses. Il suffit de se référer aux synonymes suivants du terme « durable » : constant, continu, incessant, pérenne, indélébile, indissoluble, invincible.

Dans l'idéal, une union fondée sur l'amour procure à la fois l'ancre et la liberté. Alors que rien n'est sûr dans l'existence, un lien authentique nous fournit une base, un foyer, un chez-soi fiable et sécurisant – un lieu où nous serons accueillis par des bras chaleureux, où quelqu'un se réjouira de nous voir heureux et épanouis. Riche de ce repère infaillible, nous ne nous réveillons pas avec un nœud dans la gorge, nous ne nous inquiétons pas de savoir si l'autre rentrera ou non du bureau, ou s'il respectera ses engagements. Nous savons que nous pourrons commettre des erreurs, nous montrer imparfaits et, pourtant, que nous serons toujours aimés. Cette fondation de confiance et d'affection nous donne davantage d'assurance et nous permet de nous aventurer plus facilement sur des terrains inconnus, à la fois en nous-mêmes et à l'extérieur.

Toutes les relations durables n'atteignent pas ce degré de qualité. Parfois, elles ressemblent davantage à une épreuve d'endurance, plutôt qu'à un rapport vital et vivant, porteur de joie et de plaisir. Parfois, elles s'apparentent à un accord poli de coopération amicale, sans dimension amoureuse : malgré une véritable tendresse et une entraide mutuelle, il y manque le lien profond que peuvent tisser deux êtres se révélant totalement l'un à l'autre.

Un mariage fondé sur les principes bouddhistes n'est pas une alliance de survie. Il se définit comme un moyen de s'ouvrir, de réfléchir, d'approfondir son amour, sa compassion et sa conscience, de découvrir le pouvoir bienfaisant du couple. La connexion accompagnant une relation durable constitue la force de guérison la plus puissante au monde, et à travers elle on peut trouver l'antidote le plus efficace contre la solitude, le stress et l'anxiété. Elle se révèle aussi très bénéfique pour l'équilibre physique.

Les bouddhistes parlent souvent de l'« effet papillon » : un battement d'aile de papillon émet de subtiles vibrations qui se répercutent dans le monde entier et affectent tout l'univers. Chaque mot, chaque geste, chaque acte produit une onde d'énergie qui se diffuse autour de nous. La dépression, l'angoisse, la frénésie, la peur, la colère pénètrent l'atmosphère de notre espace. Quand nous considérons notre corps comme un écosystème dont l'équilibre est conditionné par notre environnement physique et émotionnel, nous mesurons mieux l'incroyable pouvoir d'un lien profond et honnête.

Si cette notion paraît trop abstraite ou difficile à saisir, il suffit de se remémorer un moment où l'on a ressenti une sorte de fluidité paisible et naturelle entre soi et un autre. Il peut s'agir d'une conversation agréable, durant laquelle, au travers d'une écoute, d'un échange, de rires, on a retrouvé une authentique spontanéité, une impression de tranquillité et de connexion avec l'autre. Quand on éprouve cela, le temps semble ralentir son cours ou, paradoxalement, passer plus vite. Si nous nous remémorons un souvenir de ce genre et si nous nous le représentons dans ses moindres détails, en incluant les bruits, les odeurs, les couleurs, nous constaterons un apaisement physique, un ralentissement de notre organisme à mesure que les tensions se relâchent dans nos cellules, nos muscles et notre système nerveux. Peut-être éprouverons-nous une vague de douceur ou de chaleur, irradiant dans notre poitrine. Et durant tout ce processus, notre système immunitaire réagit à cette image bienfaisante en se régénérant.

3

Contempler son propre miroir

① Reconnaître les masques

> « Je crains, monsieur, de ne pouvoir vous expliquer quelle idée
> j'ai en tête, répondit Alice, car je ne suis pas certaine d'avoir
> toute ma tête, si vous voyez ce que je veux dire. »
>
> Lewis Carroll, *Alice au pays des merveilles*

Quel que soit le stade dans notre exploration de nous-mêmes, il convient de nous rappeler que nous portons tous un déguisement. Enfants, nous nous forgeons souvent une façade pour nous conformer à une certaine image : le bon garçon, la gentille fille – l'enfant sage, charmant, costaud, brillant, généreux. Malheureusement, si ce masque devient essentiel à notre survie, il peut finir par nous coller tellement à la peau que nous le confondons avec notre réalité. Finalement, nous en arrivons à naviguer dans l'existence en totale déconnexion avec notre moi authentique. Plus nous prenons conscience de nos travestissements et plus nous souhaitons nous en défaire, plus nous générons la confiance, la sécurité et l'honnêteté dans notre couple.

La première étape pour ôter notre masque consiste à prendre conscience de son existence. Durant mes séminaires, je recours souvent à un exercice très efficace : la mise en scène de nos personnages. Je demande aux participants d'identifier un certain nombre de leurs rôles habituels : la personne affable, colérique, séductrice, extravagante, timide. Ensuite, je leur dis de se déplacer dans la pièce un moment, en incarnant l'une de ces personnalités, puis de se figer et de se concentrer sur leurs sensations physiques. Certains décèleront une impression d'aisance, d'autres de gêne ou d'étrangeté. Quoi qu'il en soit, ces observations leur permettent de se rendre compte que, s'ils peuvent entrer dans un personnage, ils peuvent aussi en sortir.

Je reproduis un processus identique avec les couples. Par exemple, l'un des deux partenaires peut jouer celui qui mendie de l'amour et de l'attention, tandis que l'autre réagit à ce comportement. On peut aussi imaginer le premier figurant le dépressif ou le taciturne, et le second, celui qui essaie de lui remonter le moral. Puis je demande aux conjoints d'échanger leurs rôles. De telles simulations se révèlent fort bénéfiques : elles libèrent un flux plus ouvert d'énergie dans le couple.

Pendant plus de vingt ans, Tom et Jody incarnèrent plusieurs rôles au sein de leur couple. Elle était celle qui maternait, fixait les limites, se montrait responsable (« Nous n'avons pas les moyens de nous acheter cela »). Lui se conduisait comme le petit garçon qui acquiesçait ou se rebellait, se laissait volontiers infantiliser, dépensait à tort et à travers, était joueur, chaleureux, créatif. Tous deux possédaient la faculté d'éprouver une large gamme de sentiments et d'émotions, mais ils souhaitaient ardemment se débarrasser de l'impression oppressante de vide émanant de ces masques.

Nous avons d'abord exploré la face maternante de Jody et sa contrepartie enfantine chez Tom. Ils choisirent de jouer une scène où lui rentrait du travail en geignant, sur un ton pathétique : « J'ai passé une journée terrible. J'ai été harcelé par tous. Je suis si fatigué, etc. » Jody répondit, sur un ton suave et doucereux : « Oh, mon pauvre chéri, installe-toi tranquillement dans ton fauteuil. Tu veux que je t'apporte quelque chose à boire ? »

Au fur et à mesure de l'exercice, leurs visages s'éclairèrent, jusqu'au moment où ils éclatèrent de rire.

Puis elle dit, de sa voix naturelle : « Je me sens ridicule ! Cela me paraît si stupide ! Je ne peux pas croire que nous ayons agi ainsi pendant si longtemps ! » Tom lui adressa un regard complice.

« Vous avez été formidables ! » me suis-je exclamée, avant de demander : « Et vous, Tom, comment avez-vous vécu cet exercice ? »

« Oh ! Comme un gosse de huit ans ! répondit-il en pouffant. J'aime me décrire en termes d'âge. Cela clarifie si bien les choses. »

Je poursuivis : « Comment pourriez-vous envisager de satisfaire vos besoins autrement ? » Je suggérai que Tom commence par exprimer ce qu'il désirait vraiment.

Il lui fallut plusieurs tentatives avant d'arriver à la phrase suivante, prononcée avec une voix d'« adulte » : « Je suis épuisé ! Quelle journée ! »

Jody le regarda en souriant : « Vraiment, si dure que ça ? »

Longue pause. Puis : « En fait, j'ai vraiment envie que tu me prennes dans tes bras. »

« Viens là ! »

En acceptant d'analyser leur jeu de rôles mutuel, Jody et Tom réussirent à mettre un terme à la comédie à laquelle ils se livraient depuis toujours, d'un accord tacite. Ils découvrirent que ces personnages étaient si enracinés en eux qu'ils prenaient automatiquement le dessus : « Je me lamente et tu t'occupes de moi. » « Je te materne pour que tu ne me quittes pas. »

Ils avaient ouvert la voie à une découverte plus profonde de leurs êtres authentiques. Jody se montrait protectrice parce qu'elle pensait devoir « acheter » de l'amour en prodiguant soin et attention. Tom aimait se faire materner, mais, d'un autre côté, cela l'énervait. En renonçant ensemble à leurs personnages respectifs, ils effectuèrent un pas de géant vers un véritable Nous.

De même, si nous nous retrouvons sans cesse confrontés à la même dispute prévisible avec notre conjoint, essayons de la mettre en scène. Échangeons d'abord les rôles, puis incarnons chacun notre propre personnage en l'exagérant. N'hésitons pas à en faire des tonnes, afin de bien ressentir cela dans tout notre être. Même si cela nous paraît embarrassant, dès lors que nous agissons dans l'intention de nous rendre visibles, à nous-mêmes et à l'autre, ce processus se révèle très probant, voire étonnant. Il se passe des choses merveilleuses quand nous nous libérons de cet attachement à nos rôles et dévoilons notre véritable visage. Et tenter cette expérience ensemble nous rapprochera considérablement l'un de l'autre. Cela pourrait se résumer à l'idée suivante : la liberté, c'est ce qui se passe quand il ne reste plus rien à cacher.

❷ Se demander : « Est-ce de moi que je parle ? »

La pleine lune se trouve à l'intérieur de votre maison.

Rumi

De nombreuses personnes veulent se montrer moins critiques. Or la première étape consiste à reconnaître que nos jugements sur les autres reflètent ceux que nous portons sur nous-mêmes. Alors, dès que nous nous surprenons à reprocher mentalement à quelqu'un son manque de sensibilité, d'honnêteté, de gentillesse, arrêtons-nous un instant pour nous demander : « Est-ce de moi que je parle ? » Plus précisément : « Si je trouve souvent les autres indifférents, est-ce parce que j'ai moi-même du mal à me soucier des gens ? Si je désapprouve ma compagne quand elle baisse la tête devant son supérieur, est-ce parce que je me trouve parfois, moi aussi, en position de soumission ? »

Cet effet miroir peut s'appliquer à des circonstances similaires, relevant de la même dynamique, ou à une situation du passé que nous n'avons pas résolue ou pardonnée intérieurement. Quoi qu'il en soit, il est important de nous rappeler que nos jugements orientés vers l'extérieur reflètent souvent ceux que nous avons sur nous-mêmes.

Contempler son reflet signifie aussi se poser cette question : « Est-ce que j'éprouve le sentiment que je prête à l'autre ? » Par exemple, quand nous croyons déceler de la colère chez quelqu'un, nous pouvons nous demander : « Suis-je en colère ? Ou ai-je tendance à souvent cacher ma colère ? » Si nous nourrissons des soupçons quant à la fidélité de notre conjoint (sans aucun fondement tangible), interrogeons-nous : « Suis-je frustré sexuellement ? Ai-je un fantasme de liaison ? » Ne balayons pas cette question trop vite, sans y avoir soigneusement réfléchi. Nous voulons souvent maintenir une certaine image de nous-mêmes, au lieu de plonger profondément en nous pour contacter nos véritables sentiments, en particulier ceux que nous considérons comme répréhensibles ou méprisables.

Toutefois, ce miroir peut aussi révéler des facettes aimantes et aimables de nous-mêmes. Nous nous souvenons tous d'un moment où nous étions grincheux, irrités, et où quelqu'un nous a manifesté beaucoup de compréhension. Notre humeur s'est alors transformée, car la patience et la gentillesse de l'autre a éveillé cette partie bienveillante en nous-mêmes.

Dans les couples harmonieux, les deux partenaires savent révéler les meilleurs côtés de chacun, générant ainsi une spirale ascendante de chaleur, de sécurité et de bonheur au sein de la relation. Cependant, toute personne ayant une piètre opinion d'elle-même trouvera inconfortable de voir ses qualités reflétées chez autrui : cela ébranle la représentation négative qu'elle se fait de sa propre personne. Or s'accrocher à une image dépréciatrice de soi constitue tout autant une manifestation d'égoïsme que s'attacher à une perception trop flatteuse. En effet, ces deux attitudes renforcent la conviction d'être un individu figé et solitaire. Si nous vivons nos croyances comme des pensées monolithiques et indestructibles, elles obstruent l'accès à notre être essentiel et fondamental. Et elles nous empêchent de nous relier sincèrement à notre partenaire.

Sur notre chemin spirituel, tout un chacun devient notre professeur, car chaque personne nous tend un miroir. La découverte de l'intimité implique un désir chaque jour renouvelé de regarder dans le miroir pour voir ce qu'il révèle de nous-mêmes. Si nous refusons cette psyché, nous n'aurons de cesse de la briser ou de repousser l'individu qui s'y reflète. En revanche, si nous nous autorisons à contempler l'image qu'elle nous renvoie, nous nous apercevrons aisément que tous ces défauts inavouables ne sont rien d'autre que des travers ou des sentiments naturels et humains.

❸ Se demander : « À qui appartient le problème ? »

Dans l'exquise danse de l'amour, il est crucial de déterminer si un problème appartient à l'un des deux individus ou au Nous. L'engagement à s'aimer et à se chérir mutuellement ne signifie pas qu'il faille absorber les problèmes de l'autre. Souvent, lors des thérapies de couple, je prends une feuille vierge au milieu de laquelle je trace une ligne verticale et je demande : « Qu'est-ce qui appartient à votre conjoint ? Qu'est-ce qui vous appartient ? Qu'est-ce qui appartient au Nous ? »

Par exemple, si l'un des deux s'est disputé avec un ami, c'est son problème. Mais s'il se plaint constamment de cette situation auprès de son partenaire, il affecte la relation, le Nous. Il conviendrait alors qu'il résolve cette fâcherie ou cesse de s'en lamenter continuellement. Bien sûr, l'autre peut aussi jouer un rôle, en fixant des limites, en faisant des suggestions, en apportant son soutien. Il peut exprimer son point de vue clairement mais avec bienveillance : « Je comprends que tu sois contrarié par ton ami, mais j'aimerais ne pas voir remettre cela sur le tapis tous les soirs. Je serais heureux de t'épauler si tu veux résoudre ce conflit. Cependant, quand tu rentres, je préférerais que nous parlions d'autre chose. » Traduction : j'entends que tu as un problème, je m'en soucie, mais ça suffit, fais quelque chose pour que ça change.

Très souvent, la question de savoir à qui appartient un problème ravive un stade de développement inachevé. Durant nos premières années de vie, nous croyons être le centre de toutes les attentions ; nous pensons que tout le monde s'intéressera automatiquement à nos faits et gestes. Par conséquent, si une personne nous manifeste un quelconque manque d'empressement, cela signifie qu'elle ne nous aime pas.

Or il nous faut nous recentrer sur le présent et nous souvenir que nous sommes adultes. Cela implique la responsabilité de prendre en charge les événements de notre existence. Dans son ouvrage intitulé *Le Pouvoir du moment présent*, Eckhart Tolle nous rappelle que, face à une circonstance épineuse, nous avons trois options : quitter la situation, changer la situation, ou accepter totalement la situation. Sinon, elle accapare une énorme quantité de notre énergie et nous empêche de rester dans l'ici et maintenant.

Si nos frustrations rejaillissent sans cesse sur notre partenaire et que nous ne faisons aucun effort pour améliorer la situation, la relation peut en pâtir. En revanche, plus nous démêlons nos difficultés, plus nous insufflons de lumière et de joie à la relation et au Nous.

4   Vivre au centre de notre existence

Je sens mes membres glorifiés
Au toucher de cette vie universelle.

Rabindranath Tagore

Quand nous nous immergeons dans le courant de la vie et que nous sentons le rythme de nos passions danser en nous, nous transmettons de la vitalité à notre couple et à tout notre entourage. En retour, cet enrichissement dynamisant du Nous entretient notre feu intérieur individuel.

Pour certains, se plonger dans le flux de l'existence implique d'éteindre la télévision, de se lever de son canapé et d'élargir son univers par des initiatives inédites. Pour d'autres, cela signifie ralentir la cadence afin d'éviter que la conscience ne soit submergée par un constant bourdonnement d'activités. Il peut s'avérer nécessaire de réévaluer notre emploi du temps, pour nous concentrer sur ce qui nous enrichit ou nous dynamise et pour abandonner ce qui nous freine ou nous épuise. Nous devons parfois opérer des choix difficiles en ce sens, mais nous devons nous fixer des priorités.

Demandons-nous donc ce qui nous épanouit. Q'avons-nous toujours rêvé de faire ? Quand nous nous lançons dans une nouvelle entreprise, rappelons-nous : notre but n'est pas d'exceller, mais de ressentir les pulsations de la vie. Peut-être cette idée sonne-t-elle comme une incitation à la complaisance, peu conforme aux enseignements du bouddhisme, qui considère le service à autrui comme le cœur du chemin spirituel. Mais on ne peut pas donner ce qu'on ne possède pas, ni boire dans un récipient vide. Si nous parcourons le monde avec un cœur léger et un esprit joyeux, nous rayonnons et nous émettons des ondes positives vers tout notre entourage. L'idée n'est pas de bien faire ni d'être bons, mais de vivre au cœur du bien et de suivre notre vocation. Et les personnes qui connaissent la joie et l'épanouissement aspirent naturellement à se dévouer aux autres.

En nous situant au centre de notre existence, nous sentons la rivière de la conscience couler en nous depuis sa source ; nous agissons en harmonie avec le meilleur de nous-mêmes et cessons de nous inquiéter de la justesse de nos décisions. Plus nous suivons notre propre courant, plus nous nous immergeons profondément dans une relation d'amour. Tout est réuni en un seul fleuve – le fleuve de la vie.

⑤ Identifier les histoires qu'on se raconte

> *La seule et unique étape vitale sur le chemin de l'éveil est celle-ci :*
> *apprendre à vous désolidariser de votre mental.*
>
> Eckhart Tolle, *Le Pouvoir du moment présent*

Les pensées peuvent être légères et aériennes ou étroites, dures et denses. Plus elles deviennent solides et concrètes, plus nous nous éloignons de notre expérience et de notre entourage. Nos idées se cristallisent à mesure que nous ressassons nos histoires habituelles pour expliquer notre vie : « Je ne lis pas bien, parce que j'ai eu une mauvaise institutrice au cours préparatoire », « Je ne sais pas cuisiner, parce que ma mère me critiquait tout le temps », « Je mange trop, parce que j'ai peur de l'intimité. » Plus nous répétons une légende, plus elle se s'enracine dans notre esprit et prend valeur de vérité immuable. Or nous ne sommes pas une histoire : nous sommes une créature vivante et en permanente évolution. Il nous faut donc cesser de ressasser toujours les mêmes fables pour entrer en résonance avec le moment présent.

Au sein du couple, nous avons tendance à inventer un mythe à propos de notre partenaire, qui se traduit par une image de sa personne. Nous pouvons en dresser un portrait idéalisé ou négatif. Il n'empêche : il s'agit d'une représentation et nous échafaudons une projection, au lieu de nous relier ici et maintenant à cette personne vivante et en constante évolution.

Il convient tout d'abord de reconnaître que nous nous racontons une histoire. Ensuite, nous pouvons nous interroger : que se passerait-il si je cessais de rabâcher la même vieille rengaine pour me plonger dans le présent ? Cela requiert de prendre pleinement conscience de nos sentiments, pensées et peurs. Ainsi, au lieu de dire une fois de plus : « Je ne sais pas cuisiner à cause de ma mère », invitons un ami chez nous et préparons le repas ensemble… ou bien consultons un livre de recettes et jetons-nous à l'eau, en nous autorisant à vivre tout ce qui se présente dans l'instant. Si notre ancienne croyance revient nous perturber, songeons avec bienveillance que nous ne sommes plus des enfants, que tout cela date de bien longtemps.

Les couples impriment sur leur relation des histoires qui deviennent presque indélébiles : « Je ne peux pas lui dire combien je suis en colère, car il travaille si dur », « Je ne dois pas lui avouer que j'ai perdu au jeu, sinon elle se mettra dans une rage folle. » Ces idées figées proviennent de perceptions et de croyances issues du passé. Elles nous empêchent de nous engager en toute conscience dans le présent avec notre partenaire. Il est un épisode auquel s'accrochent fréquemment les couples : « Mon conjoint a eu une liaison. » Si cet incident est clos et que cela ne se reproduit pas, garder ce souvenir vivant dans notre esprit ne conduit qu'à générer douleur et souffrance. Nous perdons alors la précieuse richesse du moment présent.

Prenons quelques minutes pour réfléchir à toutes ces histoires que nous nous racontons sur notre partenaire. Puis imaginons que nous les laissons s'envoler, que nous lâchons prise. Alors, regardons dans les yeux de notre amour, et nous verrons la personne devant nous aujourd'hui.

4

La pratique quotidienne
de la vie et de l'amour

❹ Choyer la confiance :
prendre grand soin de respecter ses engagements

*Comme en toute chose, je dois commencer par moi-même.
C'est-à-dire : en toute circonstance, essayer d'être décent, juste,
tolérant et compréhensif, et en même temps m'efforcer de résister
à la corruption et à la tromperie. En d'autres termes, je dois faire
de mon mieux pour agir en accord avec ma conscience
et mon moi meilleur.*

Vaclav Havel, *Méditations d'été*

Les couples harmonieux concluent des accords et s'y tiennent. Cela leur semble naturel, non par obligation ou devoir, mais parce que cela dénote leur intégrité personnelle. Le respect des engagements alimente la confiance et crée un havre de sécurité pour une relation.

La capacité à rester fiable reflète aussi le degré de connaissance de soi. Si on me propose d'aller au cinéma ce vendredi ou de partir camper le mois prochain, je me connais suffisamment pour accepter ce projet, avec la conviction que, le moment venu, je le ferai avec plaisir. En premier lieu, donc, il est essentiel de ne pas s'engager à la légère, mais après mûre réflexion. Nous devons apprendre à sonder notre personnalité, à connaître nos émotions et à vérifier si nous sommes vraiment réalistes en disant oui. Il faut nous souvenir que tenir une promesse implique d'assumer les conséquences de cette décision.

Charles et Liz, mariés depuis quarante-quatre ans, se sont rappelé la seule et unique fois où, peu après leur rencontre, elle avait manqué à sa parole : ayant oublié le match de base-ball qu'elle devait disputer ce soir-là et n'ayant pas son carnet d'adresses sur elle, Liz n'avait pu joindre Charles pour reporter leur rendez-vous. Ils se retrouvèrent tout de même plus tard dans la soirée, après qu'il l'eut attendue plus d'une heure. En arrivant, elle s'excusa et lui expliqua les raisons de son retard. Quatre décennies se sont écoulées depuis, et pourtant ils se souviennent de cet incident, qui constitua le point de départ de leur constant souci de tenir leurs engagements.

Les couples chaotiques ou problématiques témoignent souvent d'un parcours jonché de manquements à leurs accords. Cette attitude reflète l'absence d'investissement dans la relation et génère un climat d'anxiété chronique chez le partenaire, qui anticipe perpétuellement un éventuel faux bond.

Il arrive que des gens brisent un accord parce qu'ils se sentent piégés dans un rôle. Jeffrey nous raconte son histoire, qui illustre un scénario très courant : « Je me sens tellement responsable de tout et je m'efforce tant d'être serviable que je dis automatiquement oui à n'importe quelle demande. Puis je me rends compte que je n'en ai pas l'envie ou le temps. J'en éprouve un tel embarras que je n'arrive pas à admettre mon inadéquation – vous savez, en tant qu'homme, je suis censé savoir tout faire. Alors j'oublie, purement et simplement, et j'espère que le problème disparaîtra de lui-même. » Puis il ajoute en riant : « Bien sûr, ce n'est jamais le cas ! »

Il se peut aussi que l'un des partenaires perçoive l'idée de respecter ses engagements comme une sorte de contrôle ou de pression. Ainsi, Jenny, l'une de mes clientes, avoue : « Pourquoi devrais-je toujours lui dire où je vais et ce que je fais après le travail ? Je tiens à ma liberté ! » Elle en est finalement arrivée à comprendre qu'elle considérait sa relation à son compagnon comme celle d'une adolescente avec son père. Elle n'avait pas encore accédé à cette conscience du Nous. Quelque temps plus tard, elle se résolut à promettre d'arriver à l'heure et cela constitua un tournant majeur pour elle de deux façons. « Cela me procure une sensation très confortable, confie-t-elle. Comme une base solide en moi, l'impression d'être adulte. En outre, notre couple en a bénéficié, car Matt se montre plus gentil et nous nous disputons beaucoup moins. »

Quand une relation est profondément enracinée et que les deux conjoints se sentent aimés, un oubli occasionnel ne pose pas problème – de telles choses arrivent. Mais des contretemps réguliers érodent les fondations d'un couple.

Je me permettrai ici une petite digression sur la ponctualité. Tout comme le seuil de tolérance au désordre varie selon les individus, les gens ont leurs propres critères à propos de la ponctualité. Certains sont régulièrement en avance, d'autres toujours à l'heure, d'autres en retard d'une dizaine de minutes de façon systématique. J'avais rejoint un groupe de randonneurs pour la mise au point d'une excursion et le guide annonça : « Notre rendez-vous est prévu au point de rencontre à 8 heures. Ed sera vraisemblablement déjà là, j'arriverai dix minutes en retard, Jenny pointera son nez vers 8 h 15. Par conséquent, nous partirons probablement vers 8 h 20. »

Point n'est besoin d'interpréter ces divergences de fonctionnement. Cela ne correspond pas nécessairement à une forme d'ambivalence, d'irrespect, de désobligeance. Il s'agit simplement du rythme de la personne. L'important dans une relation consiste à rester clair et à trouver le moyen de s'accommoder de ces différences.

Pour en revenir à notre sujet principal, si nous ne sommes pas sûrs de vouloir donner notre accord sur un point, nous pouvons le dire ouvertement : « Je ne sais pas vraiment. Il faut que j'y réfléchisse » ; « Puis-je dire un oui hypothétique et te le confirmer ultérieurement ? » ; « Je me sens trop stressé aujourd'hui. Est-ce que cela pourrait attendre demain ? » Si, malgré la meilleure des volontés, nous ne parvenons pas à respecter nos engagements, explorons notre for intérieur pour voir si, par hasard, un adolescent rebelle ne se cacherait pas là-dessous, accompagné d'une blessure enfouie ou d'une peur de la vulnérabilité.

Lorsque deux conjoints acceptent d'examiner les manquements à leurs accords et de changer, cela peut entraîner une remarquable amélioration de leur relation. Par exemple, quand Jenny eut avoué à Matt qu'elle gardait ses distances pour éviter ses remarques acérées, il s'engagea à se débarrasser de cette habitude négative. Ainsi, il entreprit un travail psychologique qui l'amena à désacraliser l'image de ses parents et à mesurer combien ils s'étaient montrés critiques et absents envers lui dans son enfance. Quand il eut contacté cette souffrance émotionnelle de ses jeunes années, il évalua mieux l'impact de son propre comportement. À mesure qu'il se corrigea, Jenny se mit à rentrer directement du bureau plus souvent. Et tous deux reconnurent de bon gré les répercussions positives de ce processus sur leur couple.

❷ Se mettre à l'écoute de sa motivation profonde

L'exploration de notre motivation constitue le fondement de notre chemin spirituel, mais cela se révèle parfois très inconfortable. Il est douloureux de s'apercevoir que nos constantes lamentations et doléances dissimulent un cri d'amour désespéré et presque enfantin. Il est pénible d'admettre que nous avons séduit le meilleur ami de notre conjoint, par simple colère. Une femme me révéla, par exemple, son courroux contre son mari infidèle en des termes peu flatteurs : « Je l'ai vu avec délectation prendre dix kilos parce qu'il ne résistait pas à mes bons petits plats. Maintenant, me disais-je, sa maîtresse ne voudra plus de lui. »

Il nous faut souvent ôter des couches et des couches d'excuses et de belles histoires, pour déceler la réelle motivation sous-jacente à notre comportement.

Penny évoquait son compagnon qui s'énervait de la voir manger bruyamment, la bouche ouverte, plus particulièrement lorsqu'ils dînaient en tête à tête.

« Il était atterré, car il s'enorgueillissait de son raffinement. Du reste, c'était un véritable gourmet et un fin connaisseur en vins. De mon côté, je trouvais cela drôle de jouer la fille mal dégrossie. Mais au bout du compte, cela le mettait tellement hors de lui que je me suis engagée, vis-à-vis de lui et de moi-même, à me corriger. Mais je n'y parvenais pas et je m'en voulais vraiment. J'ignorais à quoi c'était dû et j'en conçus une gêne terrible, car mon intention consciente était de me corriger. Il me fallut plusieurs mois pour m'apercevoir qu'en fait j'éprouvais à son encontre de la colère, car il me faisait comprendre, de diverses manières, que je manquais de distinction et que je n'étais pas "sortable" dans des soirées élégantes. Le plus étrange dans cette affaire, c'est que je ne m'étais jamais conduite de façon aussi grossière à table auparavant. Et dès que j'ai identifié cette rancœur en moi, j'ai pu cesser. J'avais désormais le choix : je pouvais lui exprimer ma frustration directement, au lieu de provoquer son agacement. »

Quand notre motivation n'est pas claire, nos échanges ressemblent aux scènes ravageuses de *Qui a peur de Virginia Woolf ?*. Plutôt que de soulever les vrais problèmes, nous blâmons l'autre quand nous avons peur, nous pleurons quand nous sommes furieux, nous posons une question quand nous voulons affirmer notre point de vue. Nous dissimulons aussi notre animosité en lançant une pique bien placée ou un commentaire sournois qui frappe là où ça fait vraiment mal, au lieu d'exprimer ouvertement notre sentiment. Les femmes participant à des groupes de parole sur la codépendance avouent combien il leur est difficile d'admettre leur colère. L'une d'entre elles expliqua : « Nous ne voulons pas ternir notre image d'épouse malheureuse. »

Cela requiert une bonne dose d'humilité d'aller fouiller au tréfonds de nous-mêmes pour découvrir notre motivation. Afin de nous alléger la tâche et d'éviter l'autoflagellation, nous pouvons penser à notre comportement comme à la résultante d'une pulsion inconsciente ou d'une défaillance intérieure. Mais si nous voulons vivre davantage en accord avec nous-mêmes, mieux vaut aller au-delà de l'apparence de nos réactions impulsives pour nous poser quelques questions :

– Que se passe-t-il en moi ?
– Qu'est-ce que je ressens vraiment ?
– Ai-je peur ? Ai-je honte ? Suis-je en colère ?
– Est-ce que je demande vraiment ce que je désire ?
– Ai-je accepté de faire une chose dont je n'avais pas envie ?
– Mes propos dissimulent-ils des sentiments de médiocrité ?
– Comment puis-je me montrer plus honnête ?
– Existe-t-il une façon plus sensée de faire face à cette situation ?

Après avoir pris conscience de notre motivation, il nous faut réparer ou présenter nos excuses. L'un de mes clients introduisait souvent ces moments en disant : « Bon, c'est l'heure des aveux. » Chez certains, l'idée d'admettre leurs erreurs s'accompagne de la peur de voir l'autre réagir ainsi : « Tu me dégoûtes. Je ne veux plus te voir. » Cependant, vingt-cinq ans de conseil conjugal m'ont démontré que, le plus souvent, il se produit exactement le contraire.

Le fait de dévoiler notre moi blessé incite plutôt à la compréhension, car la plupart d'entre nous savent combien il est difficile de reconnaître et de dévoiler ses côtés les moins brillants. Lorsque nous avouons : « Je suis désolé. J'ai perdu pied. J'étais vraiment hors de moi. Excuse-moi », cela constitue aussi un grand soulagement pour notre partenaire, réconforté de voir sa réalité validée. En effet, il est très déroutant d'entendre l'autre affirmer : « Je ne suis pas du tout en colère », alors que notre instinct profond nous affirme le contraire. Assumer nos comportements et nos motivations nous permet de puiser à la source la plus riche et douce de notre relation, de nous relier à ce fil doré qui nous unit à notre aimé et nous ramène au Nous.

❸ « Ce n'est pas ce que j'ai voulu dire » : identifier les interprétations

Le bouddhisme insiste sur la vision claire du présent. Le fait d'entendre réellement les autres, sans y plaquer notre propre interprétation, nous permet de regarder notre partenaire au présent, au lieu de le voir déformé par la brume de notre esprit conditionné.

Nous adoptons tous des filtres à travers lesquels nous appréhendons le monde. Certains les appellent nos « fausses croyances » : « Je suis stupide, je serai toujours délaissé, je dois être parfait, je suis toujours le deuxième, jamais le premier. » À partir de ces principes fondamentaux, nous tissons une toile d'interprétations corollaires : « Si j'agis stupidement, tu ne me respecteras pas » ; « Si tu n'es pas d'accord avec moi, cela signifie que tu ne m'aimes pas. »

Sur le chemin de l'éveil, nous devons comprendre que nos propres filtres génèrent notre interprétation de ce qui se produit autour de nous. Il est étonnant de constater à quel point nous pouvons déformer ou arranger les propos et actes d'une personne, de sorte qu'ils confirment nos croyances de base. Or il convient de prendre du recul et de revenir à la réalité en nous demandant : que s'est-il vraiment passé ? Qu'a exactement dit mon conjoint, mot pour mot ? Si nous prêtons attention au sens que nous attribuons aux paroles d'autrui, nous découvrirons vraisemblablement le filtre au travers duquel nous voyons le monde.

Elaine vint me consulter, se plaignant de son mari : « Il n'a aucune considération pour moi, il va jouer au poker tous les vendredis soir. » De mon côté, j'écoutai sa frustration un moment, puis je l'interrompis : « Comment savez-vous que son goût pour le poker signifie qu'il ne se soucie pas de vous ? »

Elle réfléchit, puis me répondit : « Parce qu'il me laisse toute seule et que cela ne semble pas le déranger. »

« Mais lui avez-vous vraiment demandé : "Joues-tu aux cartes avec tes amis parce que tu ne m'aimes pas ?" »

« Pas exactement, mais je le sais », répliqua-t-elle calmement.

Or nous ne « savons » pas. Nos interprétations sonnent vrai… mais nous devons laisser la place au doute. Peut-être considérons-nous la situation à travers nos filtres personnels. Le tableau ci-dessous illustre le cas précédent.

Message	Filtre	Conclusion basée sur la réaction au filtre	Émotion
Ted joue au poker tous les vendredis soir.	*Je suis indigne d'amour.*	*Il ne m'aime pas.*	*Douleur - tristesse.*
	Je n'ai aucune valeur.	*Il ne se soucie pas de moi.*	*Colère.*

Si Elaine parvenait à reconnaître que sa vision était conditionnée par ses filtres, elle se permettrait d'avoir une réaction totalement différente.

Afin de l'aider dans ce sens, je lui suggérai donc une technique visant à percer le brouillard des interprétations. « Essayez de vous répéter : "Ted est Ted. Ted fait ce qu'il fait. Ted se montre parfois froid. Ted se montre parfois chaleureux. Ted aime jouer au poker. C'est ce que Ted fait, et cela ne signifie rien sur mon compte." » Elaine trouva cette consigne très intéressante et accepta de s'y plier.

La semaine suivante, elle arriva, impatiente de parler : « J'étais en train de prononcer mentalement cette incantation intérieure : "'Ted est Ted", et soudain, j'ai entendu dans mon esprit la phrase "Elaine est Elaine." J'ai fondu en larmes, parce que je mesure à présent à quel point je le critiquais. » Elle ajouta aussi qu'elle regardait désormais son compagnon d'un autre œil : « J'ai eu un flash, une vision de lui, simplement comme un individu, l'homme avec qui je vis, cet être qui s'efforce de bien faire son travail. Puis j'ai pensé : "Pourquoi est-ce que je fais toute une montagne de son poker ?" » Elle s'arrêta, puis reprit en souriant : « En fait, je crois que je suis jalouse qu'il s'y amuse tant. Lui et ses amis jouent ensemble depuis dix-sept ans. »

Deux semaines plus tard, elle put s'observer en train de varier les filtres à travers lesquels elle envisageait une situation. « Je me sens tantôt blessée, tantôt furieuse. Parfois, j'arrive à discerner en lui cet homme qui a juste envie de retrouver ses amis autour d'une bière et d'une table de jeu. » Durant nos séances, elle s'exerça à sortir de ces différentes perspectives, de ces différents états de l'ego, pour apprendre à les activer et les désactiver. Je l'exhortais : « Faites remonter la personne en colère. Maintenant, faites remonter celle qui dit :

"C'est juste un homme qui a envie de retrouver ses copains." » Cette étape cruciale, consistant à reconnaître notre capacité à modifier notre perspective et à identifier nos différents filtres, constitue le démarrage d'un processus conduisant à comprendre la diversité de nos réactions possibles face à une situation donnée, en fonction de nos filtres internes.

Parmi les interprétations les plus courantes, figure la suivante : « Tu me contrôles. » J'interroge fréquemment mes clients sur le sens que revêt cette généralisation pour eux. Voici ce que me rapporta un couple. Margaret demande à Danny s'il veut aller au cinéma voir un film précis le samedi. Danny interprète cela ainsi : « Je dois l'y emmener, sinon elle ne m'aimera plus. » Il se sent contrôlé, alors qu'en réalité il s'agissait d'une simple question. Durant tout le film, il se sent agité et sort du cinéma dans une humeur massacrante. Margaret lui demande pourquoi il se montre si critique, il réplique alors : « En fait, j'avais juste envie d'un restaurant, mais tu veux tellement tout contrôler ! » Margaret a la sagesse de lui répondre gentiment : « J'aurais été ravie de sortir dîner, mais tu n'en as rien dit. Je ne pouvais pas savoir… » Dans ce contexte, deux possibilités se présentent. Si Danny entend ce que lui dit Margaret, il se rend compte qu'il a mal interprété sa proposition et qu'il relevait de sa responsabilité d'exprimer son envie : alors, le conflit sera résolu. « Tu as raison, je n'ai rien dit et je me suis mis en colère. Je suis désolé. » En revanche, si Danny se défend – « Eh bien, tu aurais dû le savoir ! » –, la situation s'engouffre dans une impasse, et la roue de la souffrance continue de tourner.

Pour dépasser nos interprétations automatiques, nous devons d'abord reconnaître leur existence. Dès lors que nous parvenons à nous dire : « Tiens, voilà le filtre "Je n'ai pas de valeur" ou "J'ai peur d'être abandonné" », nous constatons combien notre perception des autres est erronée. Plus nous acceptons l'idée que nous ne sommes pas nos filtres, plus nous pouvons prendre du recul et voir au-delà. Nous en venons à comprendre qu'ils viennent d'interprétations liées à des expériences passées. Nous les avons adoptés ; désormais nous pouvons les détecter et les neutraliser.

❹ Faire confiance à son intuition

Pendant un camp d'été, alors que j'avais dix ans, nous étions tous regroupés autour d'un petit étang aménagé en piscine et je vis ma monitrice favorite confier sa montre à une amie, reculer de quelques pas puis s'élancer vers le plongeoir tout habillée. Un frisson me parcourut quand elle sauta dans l'eau et en ressortit la tête, secouant ses cheveux trempés. Cela provoqua sourires et éclats de rire dans toute l'assemblée. Quelques instants plus tard, l'un des animateurs lui demanda : « Mais pourquoi as-tu fait cela ? » Le rembarrant d'un rire, elle répondit : « J'en avais envie. »

Réfléchissons un moment au fait de savoir simplement dire : j'ai envie, je n'ai pas envie, je ne suis pas sûr, sans y ajouter d'explications fastidieuses. Imaginons que nous en sommes à un niveau de conscience profond, libéré de nos censeurs internes. Dès lors que nous entrons en résonance avec cette pulsion intérieure, nous puisons dans notre esprit joueur, notre créativité, notre sagesse. Nous dépassons le mental et sommes plus présents à la vie et à nos relations. C'est bien plus amusant !

Une mise en garde, cependant : parfois, nous confondons cet élan intérieur avec un usurpateur qui tente de nous convaincre de prendre part à un projet douteux ou à consommer de la drogue, de l'alcool, des sucreries. Nous pouvons rapidement faire la différence, en imaginant les conséquences douloureuses que cela implique.

Nous devons nous rappeler que la vie se passe ici et maintenant. La plupart des problèmes ne se résoudront pas simplement en les décortiquant, en dressant des listes, en élaborant des scénarios. Nous pouvons recourir à ces moyens intellectuels comme prélude, avant de faire silence en nous pour laisser les réponses émerger.

Dans certaines pratiques de méditation bouddhistes, on apprend à rester assis et à se focaliser sur sa respiration, à mesure que l'air entre et sort. Si des pensées vagabondes jaillissent à l'esprit – « Qu'est-ce qu'on va manger ce soir ? » –, la consigne est de prononcer mentalement le mot « pensée » et de se recentrer sur le souffle.

Plus nous abandonnons nos justifications et nos divagations au profit de cette puissante impulsion au cœur de notre être, plus l'existence devient simple et heureuse. Nous renforçons aussi notre capacité à parler clairement et honnêtement de notre expérience du moment.

Voici deux exemples de conversation. Dans le premier, les deux interlocuteurs se retrouvent piégés dans leur tentative de trouver des raisons pour défendre leur point de vue.

Exemple 1

Dialogue entre deux conjoints échafaudant des histoires, des raisons, des rationalisations

ELLE : Chéri, j'aimerais vraiment que tu m'accompagnes à ce dîner chez les Smith. Ils nous ont invités ce vendredi.

LUI : Oh, tu sais, je ne les connais pas très bien.

ELLE : Mais ils veulent vraiment nous voir. Ils demandent si souvent de tes nouvelles.

LUI : Vraiment ? J'en doute ! Je n'ai pas grand-chose en commun avec eux.

ELLE : Mais c'est bien de sortir et de rencontrer de nouvelles personnes.

LUI : Tu peux y aller. Cela ne me dérange pas de rester à la maison.

ELLE *(d'un ton blessé)* : Cela ne t'intéresse jamais d'être avec moi ou de voir les gens que j'aime.

LUI : Tu veux toujours me dire ce que je dois faire.

Exemple 2

Dialogue entre deux conjoints, basé sur des « j'ai envie/je n'ai pas envie », où chacun accepte la réaction de l'autre

ELLE : Chéri, j'ai envie de sortir avec toi vendredi. Les Smith nous ont invités à dîner. Qu'en penses-tu ?

LUI : J'aimerais bien passer la soirée avec toi, mais pas vraiment avec eux.

ELLE : Et qu'aurais-tu envie de faire ?

LUI : Je ne sais pas. Nous pourrions aller au cinéma ou au restaurant.

ELLE : Que dirais-tu de dîner dehors, puis d'aller danser au Rocky Club ? Il paraît qu'un bon groupe y joue en ce moment.

LUI *(un temps de réflexion)* : C'est d'accord. Ça me semble une bonne idée.

Vous le remarquerez aisément : dans la seconde conversation, aucun des interlocuteurs n'a remis en question les motivations de l'autre, ni raconté des histoires. Ils se sont cantonnés à leur envie propre, telle qu'elle se présentait sur le moment.

Quand nous faisons confiance à ce profond puits d'intuition, résultant d'un simple échange de demandes et de réponses, sans rationalisation ni justification, nous restons honnêtes et sincères vis-à-vis de nous-mêmes, de l'autre et de la relation.

⑤ Gérer les compulsions au sein du couple

La vie en couple implique souvent de naviguer entre les faiblesses et les étranges manies de l'autre. Nous recourons tous à divers exutoires pour gérer la tension et l'anxiété. Quand nous anticipons une discussion difficile, nous mangeons du chocolat, rangeons la maison, réparons la voiture, téléphonons des heures à un ami ou sombrons dans le sommeil. Au sein d'une relation, il existe nécessairement un certain décalage entre les partenaires dans leur tolérance du désordre ou de l'imperfection. Si cela peut causer de l'irritation et parfois des conflits, il s'agit d'un point en principe négociable, pourvu que les deux parties soient de bonne volonté.

En revanche, les compulsions impliquent des comportements chroniques et souvent ritualisés que nous utilisons pour nous calmer et réduire nos tensions. Le plaisir que nous en retirons ne vient pas tant de l'acte lui-même que du soulagement qu'il procure. Les compulsions se reconnaissent par les expressions « je ne peux pas », « je dois », « il faut que je ». Si elles jouent le même rôle qu'un « doudou » pour un petit enfant, recouvrant nos émotions désagréables, elles nous plongent aussi dans un profond état de transe qui nous empêche d'être présents à notre partenaire. Si nous considérons le spectre de ces compulsions, nous trouvons de petits rituels jalonnant notre routine quotidienne – il faut que nous buvions notre café d'une certaine manière, nous ne pouvons pas nous détendre sans notre gymnastique matinale ou notre journal du soir. Le niveau intermédiaire se traduit par une nécessité plus amplifiée : nous ne pouvons pas nous reposer après le dîner à moins que la cuisine ne soit rangée ; nous sommes désordonnés et n'arrivons pas à ranger quoi que ce soit ; il faut que nous vivions avec un arrière-fond constant de musique ou de télévision ; nous devons toujours rester en activité ; nous ne pouvons pas nous passer de rapports sexuels si nous voulons nous détendre. Enfin, ces manies peuvent être poussées à l'excès : nous ne pouvons pas nous empêcher de travailler tout le temps, de nous affairer en tous sens, de nous assurer que la maison est immaculée. Nous nous inquiétons en permanence et notre esprit est continuellement préoccupé par d'innombrables problèmes.

Une compulsion s'accompagne fréquemment d'un intense besoin que les choses soient d'une certaine manière. Et gare à celle ou celui qui dérange notre rituel ou nous emprunte quelque chose sans le remettre en place. Pour employer la terminologie bouddhiste, on pourrait dire qu'il s'agit d'attachements hautement chargés.

La compulsion se distingue de la simple préférence par l'agitation et la détresse éprouvée si elle n'est pas satisfaite. En effet, c'est une chose que d'aimer une demeure nettoyée et rangée ; c'en est une autre que de se sentir extrêmement nerveux si notre intérieur n'est pas propre. Il existe une différence claire entre l'envie de terminer un projet et le fait de consacrer le week-end entier à réparer la voiture, sans passer du temps en famille. Il est normal d'apprécier les compliments et les bonnes notes, mais excessif de se déprécier si l'on ne se sent pas à la hauteur des critères trop élevés qu'on s'est fixés.

L'obsession constante générée par ce type de comportement engendre la séparation au sein du couple de diverses manières. Premièrement, l'entourage d'une personne compulsive vit dans la peur de la contrarier. Je me rappelle que mon père, quand j'étais enfant, se mettait dans une colère noire s'il manquait quoi que ce soit : un outil, un stylo, une brosse à dents. Un jour, j'avais emprunté son peigne puis oublié de le remettre dans la salle de bains. Dès que j'entendis mon père tonner : « Où est mon peigne ? Est-ce qu'on ne peut pas laisser mes affaires tranquilles dans cette maison ? », une vague de panique m'envahit. Je réussis à cacher l'objet de son courroux dans le tiroir de ma table de nuit, juste au moment où il s'apprêtait à entrer dans ma chambre. Dès qu'il fut redescendu, je me précipitai pour ranger le peigne sur son étagère.

Trop souvent, une dynamique semblable s'instaure dans un couple : l'anxiété du compulsif se répercute sur son conjoint. Ce dernier marche sans cesse sur des œufs pour éviter de contrarier l'autre ou, à l'occasion, tire profit de ce pouvoir jouissif pour déclencher la fureur de son partenaire.

Deuxièmement, la personne compulsive peut incriminer les autres pour sa propre agitation. Ainsi, cet homme qui racontait : « Quand je n'ai pas par-

faitement nettoyé la table de la cuisine, elle me rend responsable de son irritation, en disant : "Si tu rangeais les choses après ton passage, cela ne me
mettrait pas hors de moi." » Or, sur le chemin spirituel, nous ne demandons
pas au monde de changer, nous réfléchissons à nos propres attachements.

Troisièmement, l'état de transe propre à la compulsion nous empêche
d'être présents pour notre conjoint ou nos enfants. J'entends souvent cette
phrase dans mes consultations : « Il est quelque part dans sa tête où je ne
peux pas l'atteindre. »

Enfin, les exigences excessives de l'individu obsessionnel provoquent la
séparation, car elles excluent tout moment de plaisir au sein du couple ou de
la famille. Voici quelques témoignages : « Lorsque nous travaillons au jardin,
il ne veut pas qu'il reste la moindre feuille morte ou mauvaise herbe sur la
pelouse. Finalement, nous y perdons tout plaisir. Cela se conclut inévitablement par des critiques » ; « Elle passe tellement de temps à faire le ménage ou
à me dresser des listes de corvées que nous n'arrivons jamais à nous détendre
ou à nous amuser ensemble » ; « Il ne supporte pas que les enfants fassent du
bruit quand il rentre du bureau et se met à hurler sur eux au moindre prétexte.
Je lui demande de se montrer plus indulgent, mais il ne comprend pas que le
problème vient de lui et non des petits. » Toutes ces manies, apparemment
mineures, s'accumulent et finissent par éroder le sentiment d'union et d'engagement au sein du couple.

Il existe trois manières principales de gérer nos compulsions :

– justifier notre compulsion sous prétexte qu'il s'agit d'une chose importante, souhaitable, fondée, etc. Convaincre notre entourage de s'y adapter,

de se plier à nos règles. À l'évidence, cette option engendre le plus haut degré de séparation ;

– admettre que nous sommes compulsifs. Il s'agit d'un stade intermédiaire, car il implique l'importante dimension de la conscience. Si nous reconnaissons notre côté obsessionnel, sans attendre que les autres se plient à nos exigences, nous allégeons les tensions au sein de la relation. Nous pouvons trouver ensemble des façons de composer avec la situation sans qu'aucun des deux conjoints soit blâmé ou offensé ;

– explorer ce qui se passe réellement, au-delà de la compulsion, et accéder au sentiment qu'elle cache. Pour ce faire, nous pouvons observer ce qui se passe en nous quand nous ne cédons pas à notre manie. Cela représenterait l'approche bouddhiste, car elle prend en compte la notion d'attachement, comme une manière d'accéder à l'éveil en sondant notre fonctionnement intérieur. Il convient de toujours nous rappeler que les compulsions servent à dissimuler des sentiments enfouis. Parfois, cela provient d'un déséquilibre cérébral nécessitant un traitement médicamenteux. Mais, au fil de ma pratique, j'ai constaté que, la plupart du temps, dans les cas de traumatisme et d'abandon, les compulsions s'atténuent quand les gens viennent à bout des blessures du passé. En d'autres termes, les compulsions ne sont pas une nécessité absolue face aux souvenirs ou sentiments douloureux.

Face à une personne obsessionnelle, nous disposons de plusieurs options. Malgré notre désir de nous montrer compréhensifs, il n'est pas sage de nous conformer aux exigences excessives de l'autre. Cela ne contribuerait qu'à le conforter dans son comportement, sans l'encourager à davantage de conscience. Une meilleure solution consiste donc à en parler : « Je sais que tu apprécies le calme, mais je ne veux pas réduire les enfants au silence en permanence » ; « Je n'ai aucune envie de passer la journée du samedi à faire le ménage. J'aimerais sortir un peu et m'amuser » ; « Je ne désire pas faire l'amour si je ne me sens pas proche de toi. »

Dans le cas où notre partenaire ne souhaite ni réfléchir sur sa compulsion ni s'en débarrasser, nous devons relever le défi de l'accepter tel qu'il ou elle est, dans la mesure où nous ne considérons pas cela comme une cause de rupture. Dès lors que nous avons exprimé l'effet produit sur nous et notre souhait que cela change, il ne nous reste qu'à nous y résoudre et à composer. Cela ne signifie pas l'apprécier ou nous y plier, mais simplement faire preuve de bienveillance et de patience.

Quand l'amour et le lien existent et peuvent se manifester de multiples façons, l'amoncellement de journaux sur le bureau n'est plus qu'un détail – irritant, peut-être, mais pas au point de déclencher une guerre. En revanche, dans une relation hostile et vide de sens, le même tas de papier pèsera des tonnes. Cependant, au dernier jour de notre existence, tous ces petits désa-gréments paraîtront bien insignifiants en regard de l'affection, du plaisir, de l'amour de la vie et des autres que nous aurons su éprouver.

⑥ Découvrir les bienfaits de la méditation et de la psychothérapie

> *La méditation n'est pas un concept hors de la vie. Quand vous conduisez votre voiture ou voyagez en bus, quand vous bavardez de la pluie et du beau temps, quand vous marchez seul en forêt, quand vous contemplez un papillon emporté par le vent — le fait d'être conscient de tout, de manière indissociée, est une forme de méditation.*
>
> Krishnamurti

Plus nous libérons notre esprit des croyances et attentes conditionnées et enracinées, plus nous existons dans le moment présent. Cela nous permet de plonger dans le courant d'une authentique relation. Comment la méditation, cette pratique essentielle du bouddhisme, s'applique-t-elle à notre propos sur le couple ?

Avant de traiter cette question, je tiens à préciser que j'ai rencontré quantité de conjoints n'ayant jamais essayé cette technique et vivant néanmoins une union riche et durable. Par ailleurs, j'ai aussi côtoyé nombre de personnes initiées à la méditation, ayant passé des années dans un ashram, étudié auprès de gourous indiens, participé à d'innombrables séminaires, lu toutes sortes d'ouvrages sur la spiritualité et qui étaient devenues des « guides spirituels » sans pour autant avoir connu la moindre relation stable et harmonieuse. Pourquoi ?

Les problèmes de couple reflètent généralement certains retards dans le développement individuel, certains blocages remontant à l'enfance, qui atrophient notre capacité à naviguer harmonieusement entre proximité et séparation, ou à appréhender ces deux états simultanément. Nous sommes alors figés dans les peurs, besoins et images de nos premières années, et nous les projetons sur notre partenaire. Nous nous rapprochons, puis nous fuyons. Au lieu d'assumer la responsabilité de notre propre expérience intérieure, nous incriminons l'autre et tentons de le changer. Parfois, nous recourons à l'alcool, à la drogue ou au sexe. Ces types de troubles sont, selon moi, principalement d'ordre psychologique et relèvent plutôt de l'approche psychothérapeutique.

Au cours de mes vingt-sept années de carrière dans ce domaine, j'ai vu une multitude de gens s'efforcer en vain d'améliorer leur relation de couple, de surmonter leur dépression, de traiter leur dépendance ou de guérir les blessures de l'inceste et de la maltraitance au travers de la méditation, des arts martiaux et des pratiques spirituelles. J'ai vu des ceintures noires de karaté redevenir des garçonnets de cinq ans, terrorisés devant la moindre critique de leur compagne. J'ai vu des adeptes chevronnés de la méditation transcendentale, pourtant inconscients de leur désir de contrôle et de leur peur permanente. La méditation ne nous enseigne ni l'affirmation de soi, ni la communication non violente, ni les moyens de résoudre nos difficultés psychologiques ou de guérir nos traumatismes.

L'objectif initial de la méditation est de nous aider à dissiper l'attachement de l'esprit à notre ego et de nous permettre de mettre en contact notre être essentiel et notre unité avec tout ce qui est. Certes, la méditation assise et prolongée peut favoriser notre clairvoyance et ralentir nos réactions. Mais ce n'est pas la seule façon de procéder. Rester dans le calme et le silence, ou pleinement présent dans l'ici et maintenant, c'est aussi de la méditation. Cela se produit, par exemple, quand nous nous concentrons totalement sur ce que nous faisons, et sommes plongés dans l'instant sans notion de délai ou d'ego : en coupant des légumes, en écrivant, en nous promenant, en réparant une barrière, en nageant, en jouant du piano, en berçant un enfant.

Le problème de l'enseignement actuel de la méditation réside dans le fait qu'il implique souvent la définition d'un objectif : cela renforce notre identification au moi et entretient un esprit orienté vers le futur. Nous y recourons pour réduire le stress, diminuer notre pression sanguine, éprouver de la béatitude ou explorer notre psychisme.

Or l'authentique méditation s'articule autour de l'acceptation de ce qui se passe dans l'instant présent. Ram Tzu l'écrit dans un bel ouvrage :

« Plus vous le poursuivez,
Plus il s'éloigne… »

C'est seulement quand nous lâchons prise, quand nous cessons de chercher des solutions ou de tenter d'atteindre un but que nous replongeons dans le calme du moment présent – dans le silence de l'esprit du débutant –, là où nous existons hors de toute pensée, attente ou image.

Ma conception de la méditation est donc plus proche de la définition de Krishnamurti, à savoir : être intégralement conscient de tout ce qui se passe dans le présent. Nous n'essayons pas d'analyser, de comparer, de comprendre. Et nous pouvons appliquer ce même état de vigilance à nos relations, en nous mettant à l'écoute de notre vécu. Un esprit vide nous libère et nous permet de créer un lien vivant entre nous et le merveilleux univers qui nous entoure. Nous ne faisons rien pour qu'une chose se produise : elle se produit, ou non. Si nous nous efforçons de dépasser notre ego et d'accéder à la conscience, nous nous retrouvons piégés dans notre ego et nous nous employons à être là où nous ne sommes pas. Or il n'y a rien à faire : il faut simplement lâcher prise et regarder le papillon porté par le vent.

Cependant, cette notion se complique si on adopte une perspective psychologique. Depuis près de trente ans, j'exerce comme thérapeute et je travaille sur les symptômes du stress post-traumatique, en particulier associé à la maltraitance, l'abandon, le harcèlement, l'abus sexuel, etc. Or, s'il est très plaisant de parler de lâcher prise et de vigilance, certaines personnes ne parviennent jamais à faire silence dans leur esprit : elles sont habitées par trop de peurs, d'émotions, de visions du passé, ancrées dans leur système nerveux, et qui ressortent constamment, en dépit de tentatives répétées pour les effacer ou les accepter.

Revivre ces expériences intérieures réactive le choc initial. Et si la méditation se base sur l'idée qu'en laissant poindre une émotion elle se dissipera d'elle-même, ce principe ne s'applique pas aux personnes ayant subi de graves traumatismes. La douleur ou la terreur est trop forte, trop pénible à supporter, et la personne se retrouve submergée ou dissociée d'elle-même – comme durant la circonstance ayant provoqué le choc. Dans ce type de cas, la psychothérapie peut se révéler très utile.

La plupart des thérapies classiques, basées sur la parole, ne parviennent pas à dissiper nos réactions enracinées, car elles ne touchent pas le système nerveux ni la partie du cerveau où le traumatisme reste gravé. De plus, elles contribuent souvent à renforcer le scénario intérieur des consultants. En effet, elles les amènent plutôt à s'identifier avec leur esprit conditionné, au lieu de les inciter à comprendre qu'au-delà de leurs troubles psychologiques ils sont l'essence de leur être. L'objet de la psychothérapie consiste à éliminer les réactions automatiques, à soulager la souffrance et à ménager un espace pour permettre à la conscience d'émerger. Des méthodes telles que l'EMDR (désensibilisation par les mouvements oculaires) ou l'hypnose parviennent souvent à des résultats en quelques mois seulement.

Que nous prenions le thé, contemplions le coucher du soleil, fassions du yoga, travaillions dans le jardin ou jouions du piano, tout ce qui compte, finalement, c'est de suivre le courant de cette rivière intérieure qui nous offre la liberté d'insuffler une présence vivante, vibrante, silencieuse à tout ce que nous faisons.

5

Est-ce l'enfant qui parle ?

❶ Se demander : « J'ai quel âge en cet instant ? »

Notre personne est constituée d'un incroyable assemblage d'aspects et de degrés de développement. Dans ce contexte, une question se révèle très utile, à la fois pour moi et pour mes clients, à savoir : « Quel âge ai-je l'impression d'avoir en cet instant ? » En effet, selon les situations, nous nous sentons tantôt centrés et adultes, tantôt confus et immatures. Nos frustrations ressemblent parfois aux caprices d'un petit de trois ans, ou à la crise d'opposition d'un adolescent rebelle.

Ces états peuvent changer très rapidement, en réaction à différentes personnes ou circonstances. L'important consiste à nous rendre compte que nous sommes dans la position intérieure de l'enfant et à comprendre que ce n'est pas principalement lié à ce qui se passe réellement. Nous sommes émotionnellement renvoyés à une expérience passée qui affecte notre réaction. Nous devons réfléchir avant d'agir.

Et c'est particulièrement nécessaire lorsque nous sommes en proie à une brusque saute d'humeur ou à un soudain accès de peur, de colère ou de tristesse. Généralement, quand une personne se pose cette question, il lui vient à l'esprit un âge bien déterminé et un épisode précis de son vécu. En nous sondant de cette façon, nous faisons intervenir un témoin interne, ce qui nous donne un certain recul : une partie de nous se situe en observateur et nous évite de nous engouffrer tout entiers dans notre émotion. Cet instant de dédoublement nous donne la possibilité de choisir notre réaction.

Ces soudains retours vers le passé sont souvent qualifiés de « régressions » et accompagnés du sentiment que « quelqu'un appuie sur le bon bouton » ou qu'il se produit un « déclic ». Parfois, 80 % de notre réaction ont pour origine des sentiments anciens et seulement 20 % restent associés à la situation actuelle.

Or, si les réactivations du passé éloignent le couple du « Nous », le fait de les reconnaître, de les formuler et d'en assumer la responsabilité constitue un facteur de rapprochement. Dès lors que nous arrivons à formuler : « En fait, j'ai l'impression d'être un gamin qui fait un caprice », nous ne nous positionnons plus comme un petit enfant. Nous nous observons nous-mêmes et signifions à notre partenaire ce qui se passe en nous. Quand les conjoints réussissent à nommer leurs états de maturité, ils en viennent à appréhender les problèmes avec un certain humour. Ils s'étonnent souvent de constater la quantité de circonstances où leurs attitudes sont régies par le passé et où ils ne voient pas l'autre tel qu'il est dans le présent.

J'ai dressé ci-dessous deux listes de comportements reflétant nos états d'enfant ou nos automatismes issus de traumatismes passés. Il n'est pas question de se juger ou de tendre vers une quelconque perfection inaccessible, mais de se percevoir soi-même de manière à la fois lucide et compréhensive. Par exemple, si nous nous soucions toujours de l'opinion des autres – « M'aiment-ils ? Est-ce que je fais bien les choses ? » –, il peut être utile de penser qu'il s'agit probablement d'une réaction d'enfant face à un parent critique, plutôt que de la réalité actuelle. Nous pouvons nous rappeler : « C'était avant, c'est maintenant », et nous demander ce qui se passe vraiment dans le présent.

En lisant ces listes, réfléchissons à l'origine de nos comportements. Par exemple, si nous avons tendance à rompre nos engagements, est-ce parce que nous ne savons pas dire non ou parce que nous éprouvons du ressentiment face à la moindre demande d'aide ? Chez la plupart d'entre nous, il existe des périodes de prédilection auxquelles nous régressons. Souvenons-nous bien que tout cela n'est que conditionnement. Nous existions bien avant d'adopter toutes ces pensées et croyances. Notre véritable essence ou conscience, au cœur de nous-mêmes, est parfaite et libre.

Caractéristiques communes d'états liés à l'enfance et aux traumatismes du passé

– Peur de dire ce qu'on ressent, désire, pense, veut…
– Peur de dire non et de fixer des limites.

– Sentiment de blessure, de colère ou de rejet face à un « non ».

– Peur d'être délaissé, blessé, abandonné.

– Peur d'être englouti et de perdre son identité.

– Peur de la violence – dans certains cas, il existe un réel danger de violence physique ; mais le plus souvent, la peur est déclenchée par une perception faussée de l'instant présent.

– Intenses accès de colère : cris, hurlements, insultes.

– Rationalisations, élaboration d'excuses pour justifier le comportement du conjoint : « Personne n'est parfait, je fais sûrement toute une histoire pour pas grand-chose, d'autres sont bien pires. »

– Appropriation des inquiétudes et angoisses du partenaire – il est contrarié, donc on l'est aussi.

– Rupture des engagements, manquement à accomplir les tâches qu'on avait accepté d'assurer.

– Reproches, refus d'assumer la responsabilité de ses actes : « Je suis trop fatigué, il pleut, tu ne m'y as pas fait penser, le destin est contre moi… »

– Tendance à considérer comme un dû le fait d'être servi, soutenu, pris en charge. De quelles façons ?

– Retranchement, isolement, refus de parler.

– Sentiment d'inconfort, de possessivité, de jalousie lorsque le conjoint rencontre de nouveaux amis et se passionne pour leurs centres d'intérêt.

– Peur ou embarras dès qu'il s'agit de reconnaître ses erreurs.

– Impression d'insécurité, sentiment d'être en demande, ou peur de la solitude.

– Dissimulation, secrets vis-à-vis du partenaire.

— Attitude défensive : difficulté à écouter l'autre sans l'interrompre pour se justifier ou prouver qu'il a tort.

— Peur de demander de l'aide quand le couple est en proie à de graves problèmes.

— Déséquilibre des rôles au sein du couple : parent/enfant ; professeur/élève ; expert/néophyte ; sauveur/sauvé ; stable et posé/émotionnellement fragile…

— Dépendance active non prise en charge – à la drogue, à la nourriture, au jeu, aux dépenses, au sexe, au travail…

— Recours au sexe pour créer une intimité absente de la relation, accepter quand on voudrait refuser ou l'inverse.

— Fréquents maux de tête ou de ventre, sentiments de tension, de manque d'énergie, d'ennui et de désœuvrement, de blocage et d'impasse.

Langage caractéristique d'un état d'enfant

« J'ai peur de te parler, parce que je m'inquiète de ta réponse. »

« Tu t'en prends toujours à moi. »

« Je ne fais jamais rien de bien. »

« Tu ne me laisses jamais parler. »

« J'ai peur d'être rejeté ou abandonné. »

« Je ne comprends pas comment les gens peuvent être si malhonnêtes, méchants, sans égards. »

« Je ne peux pas faire cela, parce que j'ai peur. »

« Je ne suis heureux que si mon partenaire et mes enfants le sont. »

« Si je suis plus gentil, plus intelligent, plus calme, plus riche, plus mince, peut-être qu'il ou elle agira, m'aimera différemment. »

« Si tu ne fais pas ce que je veux, cela signifie que tu ne m'aimes pas. »

Pour nous libérer de l'ascendant qu'ont sur nous ces états d'enfant, il convient de prendre un certain recul. Contentons-nous d'observer le mécanisme : « Ça y est ! Me voilà rattrapé par mes anciennes blessures ! » « Eh bien ! Je vois vraiment rouge ! » « Je me sens si petit et terrorisé. » « J'ai quel âge ? » « Qu'est-ce qui a réellement été dit ? » Puis concentrons-nous sur nos sensations corporelles. Quelles qu'elles soient, identifions-les, regardons-les et vivons-les totalement. Cela pourra contribuer à desserrer l'emprise de ces réactions enracinées.

L'exemple suivant montre bien les signaux physiques et émotionnels, révélateurs d'un passé réactivé.

Kay, une femme dynamique et enjouée, raconte ses premières années de mariage. À cette époque, elle se sentait régulièrement blessée et déçue, car Jim, son époux, rentrait rarement à l'heure pour dîner et ne téléphonait pas pour prévenir de son retard. Voici son témoignage.

« J'étais remplie de bonheur et d'enthousiasme en cuisinant, à la perspective d'un repas intime et romantique. Mais, à mesure que l'heure tournait, j'éprouvais une lente brûlure de mon ventre jusqu'à ma gorge. Je me disais : "Pourquoi fait-il cela ? S'il m'aime, pourquoi un tel manque de considération ?" Après un moment plus ou moins long de colère, je commençais à me sentir vide et déprimée. C'était horrible. Et puis, un jour, une idée subite m'a traversé l'esprit : "Je ne suis plus une enfant. Je n'ai pas à m'efforcer à ce point de faire plaisir à quelqu'un qui ne s'en rend même pas compte. Dorénavant, je vais sortir au restaurant et voir mes amis." »

Quand je demandai à Kay ce qui l'avait aidée à effectuer ce revirement, elle sourit : « En fait, il se comportait exactement comme ma mère, et moi, comme la petite fille que j'étais alors. Maman avait toujours tendance à s'éclipser, physiquement ou émotionnellement. Elle disparaissait, d'une manière ou d'une autre. Alors, je m'évertuais en permanence à la contenter, mais cela ne marchait jamais. Je n'insinue pas que Jim avait raison d'arriver en retard. Simplement, de mon côté, je réagissais comme une enfant. »

Cette histoire présente un intérêt tout particulier, dans la mesure où la contrariété et la colère de Kay semblent tout à fait normales et justifiées, face à la désinvolture de son mari. Cependant, dès lors que ce type d'émotion revêt un caractère intense et répétitif, et que nous reproduisons sans cesse le même schéma, cela signifie assurément que nous sommes dans le passé.

Au bout du compte, le changement d'attitude de Kay se révéla payant. Lorsque Jim rentra dans une maison vide, sans personne pour lui préparer à dîner, il fut secoué de sa torpeur et de son confort. Sa femme arriva un peu plus tard, joyeuse et ravie, lui demanda comment s'était passée sa journée, lui raconta combien elle s'était amusée avec ses amis. Quand il finit par lui demander : « Pourquoi ne m'as-tu rien cuisiné ? », elle répliqua en souriant : « À ton avis ? », ce qui l'amena à réfléchir sur son propre comportement. Finalement, il téléphona pour signaler ses retards, qui d'ailleurs se raréfièrent, et, pour le plus grand plaisir de Kay, se mit à la remercier pour les petits plats qu'elle lui concoctait.

Ainsi, en reconnaissant nos états d'enfant, nous pouvons changer de perspective, donc d'attitude. Ce faisant, nous modifions l'équilibre de notre couple. Bien souvent, il est très efficace d'imiter l'exemple de Kay et de poser des actes sans commentaire, parlant d'eux-mêmes.

② Déterminer qui a épousé qui

Lorsque des personnes viennent pour une thérapie de couple, je leur demande comment elles se sont rencontrées, ce qui les a attirées l'une vers l'autre et quels étaient leurs espoirs. Tout en écoutant leur histoire, je tente d'identifier l'âge développemental des partenaires au moment où ils se sont engagés. J'essaie de savoir s'ils étaient animés par des besoins figés, issus de l'enfance et générateurs d'attentes irréalistes. Espéraient-ils que leur union comblerait un vide, leur apporterait la sécurité financière, leur éviterait d'affronter leur peur de la solitude ? Craignaient-ils que personne d'autre ne veuille d'eux, ou souhaitaient-ils désespérément échapper à une famille violente ou possessive ?

En d'autres termes, étaient-ils poussés par des manques et des peurs qu'aucun mariage ne pourrait résoudre, et quelle ombre cela projetait-il sur leur relation ? Si notre engagement dans un couple s'accompagne toujours d'espoirs et de rêves – certains plus réalistes que d'autres –, pour certains, la motivation principale réside dans des besoins correspondant à des moments irrésolus de leur passé.

Cependant, si, au moment du mariage, une personne se trouve dans un état donné de son moi, elle ne reste pas nécessairement immobilisée à ce stade. Moyennant des efforts et de l'introspection, les partenaires parviennent parfois à dépasser ces limites et à évoluer vers un rapport plus adulte. En revanche, si ces positionnements intérieurs enfantins ne sont pas révélés, examinés et traités, ils continueront à affecter le couple sous forme de possessivité, de retranchement, de critiques, de crainte, de rancœur ou de distance émotionnelle.

Or, quelle que soit l'affection de notre conjoint, il ne pourra jamais combler les carences de notre enfance. Une telle attente ne peut aboutir qu'à la peur et à la colère : la peur de toujours ressentir le vide, la colère de ne pas obtenir ce qu'on veut. Dans ce cas, nous vivons une relation non pas avec un individu réel, mais avec une image projetée de nos parents ou d'une autre figure d'autorité. Pour nouer un authentique lien d'amour et créer un véritable Nous, nous devons nous rencontrer l'un l'autre non comme des enfants et des parents, mais comme deux pairs, deux égaux.

Marge et Rudy avaient grandi dans des familles catholiques, où on les avait éduqués à se montrer généreux. Formé à l'obéissance et à la docilité, aucun d'entre eux n'avait appris à se fier à ses propres sentiments ou observations. Quand ils se rencontrèrent, dans un refuge pour défavorisés où ils travaillaient bénévolement, Marge venait d'obtenir son diplôme d'université et vivait chez ses parents en attendant de trouver un emploi. Oppressée par une atmosphère familiale conflictuelle, elle n'aspirait qu'à partir. Elle connaissait Rudy depuis quelque temps et, si elle l'appréciait, elle redoutait aussi son côté colérique, doublé d'une tendance à se renfermer dans le mutisme. Elle nourrissait cette croyance erronée – et pourtant si courante – que, grâce à son amour, elle le changerait. De son côté, Rudy était attiré par la joie de vivre de la jeune femme, ainsi que par l'intérêt qu'elle lui portait et qui lui procurait un sentiment rassurant d'utilité et de valeur. Autrement dit, ils se trouvaient tous deux dans des états enfantins, cherchant à pallier leurs manques respectifs au travers de l'autre.

Vingt ans plus tard, lorsqu'ils vinrent me consulter, les propos de Marge étaient truffés de phrases telles que : « J'essayais d'être gentille », « Je pensais qu'avec de la patience, il… » Son comportement excessivement doux et amène alternait avec des phases de rage et de sanglots presque hystériques ; pas de juste milieu. Je lui faisais remarquer qu'essayer d'être quelque chose signifiait ressentir l'opposé. Quand j'essaie d'être gentille, c'est parce que je ne me sens pas gentille. S'ils pouvaient tous deux entrer plus profondément en eux-mêmes et exprimer ce qu'ils éprouvaient vraiment, cela éviterait les accès de fureur de l'une et les moments de repli de l'autre. Cela nécessitait que chacun travaille séparément, pour mettre au jour la peur et la colère qui s'étaient cristallisées en lui depuis l'enfance.

Marge avoua, après plusieurs mois de psychothérapie : « J'ai l'impression de sortir d'une transe, comme un ballon qui s'envole, et maintenant je comprends combien je réagissais en petite fille. » Et elle ajouta en riant : « C'est assez ridicule quand on y pense, car Rudy est aussi perdu que moi ! »

❸ Reconnaître l'importance de quitter le foyer parental

Notre aptitude à l'intimité repose sur notre capacité à maintenir à la fois un sentiment de soi individuel et une proximité dans nos relations aux autres. Ce processus implique de déplacer notre loyauté principale, de nos parents sur notre conjoint et sur la famille que nous fondons. Ce rite de passage implique de prendre conscience des valeurs qui nous ont été inculquées. Puis, grâce à un processus de réflexion et d'expérimentation, nous choisissons celles que nous souhaitons garder et abandonnons les autres. Autrement dit, nous « quittons la maison ». Dans le jargon de la psychologie, cela s'appelle la « différenciation ».

Il s'agit d'une longue maturation qui commence dès les premières années. Depuis les bras réconfortants de notre mère, nous commençons lentement à découvrir l'univers qui nous entoure. Si nos parents naviguaient harmonieusement entre proximité et séparation, ils ont su nous procurer un havre de sécurité et nous encourager à explorer le monde – nous faire de nouveaux amis, apprendre de nos erreurs et développer nos propres passions.

La différenciation conduit à insuffler du sens à notre vie et à permettre à nos talents et intérêts de s'épanouir. Nous en retirons une stabilité interne face aux épreuves, difficultés et obstacles, ou lorsque nous nous confrontons à des gens aux croyances différentes des nôtres.

Parfois, nos tentatives de séparation vis-à-vis de notre cocon originel se traduisent par un déménagement et un changement de mode de vie. Mais ces décisions réactionnelles constituent encore une forme de rattachement à notre famille, même si elles nous procurent un espace pour nous découvrir nous-mêmes et représentent un premier pas important. En effet, le défi le plus important consiste à reconnaître les voix de nos père et mère qui résonnent en nous – celles qui nous incitent à la critique, au malheur, à la peur, à la honte, à tous ces sentiments qui dominent souvent notre vécu intérieur. Nous restons en fusion avec nos parents tant que notre capacité à penser, ressentir et réagir reste étouffée sous leurs messages. Si nous nous souvenons que toutes ces voix internes se sont superposées à notre essence, nous redouterons peut-être moins de les regarder en face. Certes, elles nous affectent, mais elles ne sont pas nous. En même temps, comme elles entravent notre intimité avec autrui, il faut cesser de leur accorder tant de pouvoir sur notre existence.

Notre loyauté envers nos ascendants finit un jour par se transposer sur notre nouvelle famille. Cela nécessite parfois un rude combat, comme en témoigne Angela, qui entrait régulièrement en conflit avec son mari Tim, au sujet des visites chez sa belle-mère : « Quand nous allons chez elle, j'ai l'impression qu'il s'éloigne de moi. Il redevient un petit garçon à la recherche de l'aval de ses parents. La maison ressemble à une vitrine, et sa mère sermonne sans cesse nos enfants dès qu'ils touchent à ses affaires. Mais lui ne bronche pas. J'ai l'impression de ne plus avoir de mari quand nous allons chez elle. »

Si Tim parvient à transformer sa relation à sa mère, en renonçant à son besoin d'approbation, et à défendre son épouse et ses enfants, il deviendra plus apte à entretenir une relation adulte avec sa femme.

Tant que nous ne quittons pas le foyer parental, nous ne sommes que partiellement mariés à notre conjoint.

La clé de cette transformation réside dans le fait de témoigner bienveillance, compréhension et compassion à ces parties de nous qui se sentent si confuses ou honteuses. Dès que nous nous entendons lancer des piques, comme notre père avait l'habitude de le faire, nous devons rentrer en nousmêmes, reconnaître cet aspect de notre fonctionnement et nous rendre compte qu'en réalité il s'agit de la voix de notre papa, encore vivante en nous. Après seulement, nous parviendrons à plonger au-delà de ces échos parasites, à écouter notre propre cœur et à nous demander : « Quelle est ma vérité ? Qu'est-ce que j'éprouve ? Que puis-je faire pour connaître ce "Nous" avec mon partenaire ? »

Dès lors que nous nous laissons de moins en moins contrôler par les résonances du passé, nous parvenons à réellement épouser l'autre et à nous unir à lui. Comme on peut le constater ici, la notion de différenciation ne constitue qu'une autre appellation du chemin spirituel, à savoir ce parcours d'un individu qui apprend à voir clairement dans le présent et qui se libère du carcan de ses réactions habituelles et automatiques face aux gens et aux circonstances.

❹ Explorer les niveaux d'une relation

Après avoir évoqué la nécessité de « quitter la maison » pour nouer une relation intime, nous allons voir divers stades qui illustrent cette évolution vers la différenciation. Auparavant, voici une liste de caractéristiques typiques d'une union riche et entière. Il convient toutefois de se rappeler qu'il s'agit d'un processus et que ces éléments ne restent jamais statiques.

À mesure que nous nous différencions, les aspects suivants s'amplifient :
– prendre du plaisir et se sentir à l'aise ensemble ;
– exprimer ses émotions, sentiments et besoins ouvertement ;
– s'écouter mutuellement avec attention et un authentique désir de compréhension ;
– assumer ses propres erreurs sans en éprouver de honte ;

– respecter ses engagements ;

– prendre en considération l'impact de son propre comportement sur son partenaire ;

– soutenir et encourager l'autre à donner le meilleur de lui-même ;

– se montrer de plus en plus apte à maintenir sa propre identité et, simultanément, à être proche de son conjoint ;

– fonctionner ensemble comme une équipe ;

– réussir à ressentir et à exprimer des aspects conflictuels de soi : désir de proximité et de séparation, de passivité et d'affirmation ;

– savoir s'excuser et pardonner ;

– savoir faire table rase et lâcher prise ;

– prendre ses responsabilités dans la relation et y apporter sa contribution sans y être invité ;

– connaître la sensation de l'union et du Nous ;

– manifester de l'humour, de l'affection, de la chaleur ;

– s'engager sincèrement dans le couple.

À mesure que nous nous différencions, les aspects suivants diminuent :

– conflits prévisibles et répétés entre les conjoints ;

– peur de ne pas faire ou dire ce qu'il faut, d'être critiqué ;

– image du partenaire comme un objet destiné à combler ses propres manques ;

– soumission/opposition : se montrer « gentil » avec l'autre pour lui faire plaisir quand il menace de partir, et refuser d'assumer la responsabilité du rôle plein et entier de conjoint ;

– comportement égocentrique, au détriment du partenaire ;

– consommation compulsive d'alcool, de nourriture, de drogue, de pornographie ;

    – utilisation du sexe pour satisfaire un besoin d'émotions fortes ;

    – triangulation, alliance avec les enfants contre l'autre parent ;

    – critiques, doléances, repli, reproches, accès de colère ;

    – impression d'être coincé, démuni, aliéné ou seul.

Ces deux listes peuvent nous évoquer des relations passées. Nous remarquerons peut-être certaines évolutions en nous, ainsi que des points sur lesquels nous stagnons. Hormis une poignée d'éveillés, aucun d'entre nous ne se trouve en permanence dans son état d'adulte. Ce n'est qu'une question de degré, de dosage. Quel que soit le stade atteint, il suffit d'observer avec vigilance et lucidité, et d'apprécier la danse de la vie.

Quelques mots au sujet des différents stades

Notre ego a tendance à comparer, jauger, évaluer, s'accrocher à des idées figées, afin de créer une identité étiquetée : « Je suis ceci ou cela. » Dès lors, n'oublions pas que les niveaux décrits ci-dessous ne sont que des productions de l'esprit : ils fournissent seulement un cadre théorique sur lequel baser nos observations et réflexions. Examinons donc le fonctionnement de notre mental au fil de ce processus, et rappelons-nous toujours que nous ne sommes pas nos comportements. Ces derniers ne représentent que l'apparence de notre être, et non notre essence, qui coule en dessous, telle une source pure.

Les cinq niveaux de relation suivants s'inspirent des enseignements de Stuart Johnson, ancien directeur du service de thérapie familiale de l'Institut psychiatrique de Yale, et des développements avisés de Maggie Scarf dans son ouvrage, *Intimate Partners*. Les idées de ces deux personnes se sont révélées très utiles dans mon travail avec les couples. J'apporte à cette exploration mes propres commentaires, en y ajoutant une dimension spirituelle. L'évolution fondamentale qui se traduit au travers de ces stades successifs conduit à une capacité accrue à vivre harmonieusement à la fois la proximité et la séparation avec autrui.

Ⓢ Niveau 1 : Peur d'être proche, peur d'être séparé

À ce niveau, l'intimité comme la séparation constituent une menace pour le moi. Une personne aborde alors une relation, submergée par la crainte de se laisser engloutir ou de perdre son identité. Elle prononcera des phrases du genre : « J'ai peur de mal faire. De toute façon, l'autre me quittera ou ne m'aimera pas. » À ce stade, les notions d'intimité et de plaisir au sein d'un couple n'existent quasiment pas.

Au final, les relations amoureuses sont très tumultueuses. Elles ne procurent aucun sentiment de sécurité. Bien au contraire, elles se déroulent comme un cercle vicieux : on tente le rapprochement, on éprouve de l'anxiété, on s'éloigne, on retrouve la terreur de la solitude, alors on essaie à nouveau de se rapprocher. Ce cycle reflète le degré maximal de fixation des états d'enfant. Il provient souvent de problèmes d'attachement ou de négligences, de maltraitances remontant aux premières années de la vie.

Que faire ? Ceux qui connaissent une peur aussi profonde, une telle absence de confiance et une ambivalence si excessive ont généralement besoin, au préalable, d'une thérapie qui contribuera à les soulager et à atténuer leur inconfort face à la proximité et la séparation. Ils peuvent aussi parallèlement s'exercer à côtoyer d'autres personnes, à nouer des amitiés, à apprivoiser peu à peu leur spontanéité et leur sentiment de confiance. Ensuite seulement, ils pourront envisager de s'investir dans une vraie relation.

Niveau 2 : Tantôt je te vois, tantôt je ne te vois pas

> *Ce qui se joue entre les partenaires, au niveau deux, c'est le problème qu'aucun des deux n'a réussi à résoudre intérieurement – à savoir comment rester un individu distinct et séparé, tout en restant émotionnellement attaché à un autre être humain. L'enjeu principal au sein de ces couples réside dans l'incapacité de chacun à contenir, intérieurement, les deux faces de la polarité autonomie/intimité.*
>
> Maggie Scarf, *Intimate Partners*

À ce niveau, baptisé « identification projective » par Johnson et Scarf, le potentiel d'une relation existe. Cependant les besoins de proximité et de séparation sont encore en conflit, car chacun des partenaires n'a conscience que d'une seule de ces deux nécessités humaines. En d'autres termes, l'un reconnaît le désir d'intimité, l'autre, celui de séparation.

Ainsi, le conflit se traduit par le tandem « je te poursuis/je te fuis », par une danse oscillant entre rapprochement – mais pas trop – et éloignement – mais pas trop.

Si nous en restons à ce stade, cela signifie que nous n'avons pas terminé le processus de différenciation, pas tout à fait « quitté la maison ». Notre peur de la séparation ou de l'intimité repose habituellement sur des décisions inconscientes prises dans l'enfance : il est dangereux de faire confiance ; je ne mérite pas d'être aimé. Nous considérons ces pensées comme la « vérité ». Elles se reflètent dans nos actes et constituent souvent la source de notre comportement. Aussi nous arrangeons-nous pour nous mettre dans des situations qui confirment nos plus grandes craintes.

À ce niveau, les relations semblent souvent polarisées – comme si, par un accord tacite, l'un acceptait de porter toute la colère et l'autre toute la tristesse des deux individus. En réalité, celui qui semble posé garde une colère enfouie, qu'il génère inconsciemment chez son partenaire, tandis que le prétendument méchant abrite une vulnérabilité reniée.

Malheureusement, les amis comme les thérapeutes réagissent souvent à l'image de façade et témoignent empathie, approbation et soutien à celui qui semble endurer un partenaire si difficile. Ils n'aident pas le conjoint prétendument sain à comprendre sa propre dépendance à l'égard de cet autre qui porte pour lui ses sentiments irrationnels et troubles. Nous devons nous le rappeler : nous choisissons de nous lier et de rester avec quelqu'un en tant qu'adulte. Nous devons donc réfléchir sur nous-mêmes et nous demander : « Quel est mon rôle dans tout cela ? »

La dépression, l'angoisse, la maladie, les troubles physiques, les liaisons, le chaos et les dépendances font ordinairement partie de ce genre de tableau.

Si nous fonctionnons ainsi, nous avons du mal à reconnaître notre part de responsabilité dans un problème, car nous l'avons tout à fait occulté. Étant déconnecté d'une importante part de nous-mêmes, nous éprouvons une impression de vide et déplorons régulièrement l'absurdité de l'existence. Le bouddhisme décrirait cela comme un manque de conscience intérieure. Nous croyons qu'un élément extérieur comblera nos manques, plutôt que de considérer cette carence comme la conséquence d'une rupture avec notre véritable moi.

On pourrait se demander ce qui forme ce genre de couple. En réalité, nous sommes initialement attirés par une personne possédant les aspects que nous renions, parce que cela nous apporte une impression de complétude. Je récuse ma colère, donc je suis attiré par toi, parce que tu l'exprimes facilement. Tu combles mes manques. Cependant, cela ne donne qu'un confort éphémère, puisque cet aspect que j'avais trouvé si attrayant me renvoie sans cesse à ce que j'ai refusé de m'approprier. Ainsi, au bout d'un certain temps, l'homme puissant et affirmé sera considéré par sa compagne comme dominateur et insensible, et la femme superbe, élégante et séductrice deviendra, aux yeux de son époux, égoïste, dépendante et frivole.

À ce niveau, nous nous confrontons souvent à l'autre et rarement à nous-mêmes. Par exemple, Harry nie son sentiment intérieur d'inutilité et d'inconsistance. Régulièrement, il refuse de participer aux tâches ménagères, ne respecte pas ses engagements et force sa femme Martha à répondre à ses pulsions sexuelles. Si elle joue le rôle qu'il lui impose, il projettera ensuite sur elle sa piètre opinion de lui-même, en la traitant de harpie. De la sorte, il extériorise le conflit, qui se manifeste entre lui et sa conjointe, au lieu de se heurter au douloureux constat de son manque d'assurance et de sa mésestime de soi.

Parallèlement, l'attitude de déni de Harry arrange Martha : sa vision d'elle-même comme une femme n'obtenant jamais ce qu'elle désire est renforcée. Dans de tels cas, les deux conjoints redoutent souvent de consulter, compte tenu de la quantité d'éléments inconscients que cela les obligerait à regarder en face.

Cependant, si Martha décide d'agir, en refusant d'incarner la personne critique, cela bouleversera obligatoirement tout le système. De même, si Harry accepte de voir son sentiment d'inadéquation et son autodénigrement intérieur, le caractère conflictuel de la relation s'atténuera, même si son inconfort interne s'en retrouve momentanément accentué. La clé du changement réside dans notre volonté de supporter et d'assumer notre malaise et nos conflits intérieurs. Cela fait aussi de nous des êtres humains plus sensibles et multidimensionnels. Nous devenons dès lors aptes à voir les différents aspects d'une situation, tout comme nous sommes conscients des innombrables facettes de nos états émotionnels et de nos sentiments.

Si les couples du niveau deux vivent une relation difficile, ils peuvent se sortir de cette impasse, à condition d'être prêts à fournir les efforts nécessaires.

Que faire ?

1. Écouter nos peurs, qui font obstacle à toute intimité, et comprendre qu'il ne s'agit que d'idées reçues, apprises, et non de la « vérité ». Nous

existions avant d'adopter ces croyances. Observons-les avec intérêt et demandons-nous : « Qu'est-ce qui est réellement vrai pour moi ? »

2. Examiner notre comportement. Quels sont les facteurs déclencheurs ? À quel âge intérieur retournons-nous ? Quelles sont les peurs qui nous contrôlent ?

3. Reconnaître nos liens de loyauté envers nos parents. Qu'est-ce qu'il nous faudrait pour véritablement quitter nos père et mère, et épouser notre conjoint ?

4. Cesser de materner notre partenaire. Le laisser vivre les conséquences de son comportement. Arrêter d'échafauder des excuses pour justifier son attitude.

5. Rester au contact de nos émotions. Parfois, la colère cache une tristesse sous-jacente et inversement.

6. Prendre conscience des parties de nous-mêmes que nous avons niées. Pour entamer ce processus, examinons les polarités existant dans notre couple. Souvenons-nous : nous faisons jouer à l'autre le personnage que nous ne voulons pas voir en nous.

7. Les deux membres du couple examinent le rôle qu'ils jouent en se posant les questions suivantes :

– Quelle est ma plus grande peur et que fais-je pour la légitimer ?

– Qu'est-ce qui va se passer au sein du couple si rien ne change ?

– Que reflète mon comportement (enfant dépendant, en rébellion…) ?

Ces questions posées, les deux partenaires peuvent s'exprimer, l'un à l'autre, leurs propres conflits internes, peurs, espoirs et besoins. Assumer son monde intérieur constitue la clé pour accéder à une relation plus harmonieuse et agréable.

8. Écouter. Chacun des membres du couple prend une demi-heure pour parler de lui-même – de ses peurs, joies, pensées, intérêts –, en dehors de la relation et du conjoint. L'écoutant ne réagit pas aux paroles, pour éviter de renforcer les croyances négatives de l'autre – « Je suis indigne d'amour, stupide, inadéquat… » Avec un interlocuteur silencieux, nous entendons mieux nos propres paroles et commençons alors à prendre conscience que ces croyances négatives viennent de nous-mêmes.

9. Alterner les jours d'intimité (exercice recommandé aussi par Stuart Johnson). L'objectif consiste ici à permettre à chacun des conjoints d'initier les moments d'intimité et de briser le cercle « je te poursuis/je te fuis ».

Les lundis, mercredis et vendredis, l'un des partenaires initie la proximité ; les mardis, jeudis, samedis, c'est au tour de l'autre. Cela se fait au travers d'une demande sur laquelle le conjoint a préalablement donné son accord : aller se promener, cuisiner ensemble, faire un massage… La requête doit être exprimée clairement, en spécifiant bien l'action, le lieu et le moment. Une phrase comme « J'aimerais que tu te montres gentil, affectueux… » est trop vague. Il vaut mieux employer des formulations telles que : « J'ai envie de me blottir dans tes bras et de regarder le film *Titanic*. »

10. Identifier nos échappatoires quotidiennes : télévision, Internet, arrière-fond constant de musique, activité permanente, sucreries, shopping, bavardage au téléphone, et surtout consommation d'alcool et de drogue.

11. Les deux conjoints s'engagent à intégrer des groupes d'entraide et/ou à consulter un professionnel, afin de prendre conscience de leur fonctionnement et de leur être, et d'élargir l'éventail de leurs émotions et sentiments.

❼ Niveau 3 : Se connaître soi-même pour connaître l'être aimé

> *Même si les partenaires projettent des pensées et sentiments indésirables l'un sur l'autre, la part de l'inconscient dans ce processus est considérablement réduite.*
>
> Maggie Scarf, *Intimate Partners*

Les couples à ce stade peuvent certes s'embourber dans une bataille sans fin, mais ils peuvent parvenir à prendre du recul et à reconnaître leur responsabilité dans la situation. Prenons le cas de Lawrence et Marie. Leur union reposait sur un accord fondamental : elle rapportait l'argent, et lui s'occupait de la maison et de leurs trois filles. Alors que Marie préparait son cinquantième anniversaire dans leur modeste pavillon, elle demanda à Lawrence de bien vouloir nettoyer la salle de bains et repeindre les portes du garage, afin d'embellir la maison pour l'arrivée des invités.

Comme il trouvait leur demeure très bien et que, de surcroît, il détestait le bricolage, il se déroba à la tâche. Une querelle prévisible s'ensuivit concernant sa responsabilité à assurer sa part de travail. Lorsque Marie rentra du bureau quelques jours plus tard, elle eut le plaisir de trouver une salle de bains étincelante et des pots de peinture posés près de l'entrée du garage. Cette anecdote commence comme une situation de niveau deux. Le conflit initial est le même. Cependant, au stade trois, les conjoints, une fois calmés, réfléchissent et modifient leur attitude.

J'ai interrogé Lawrence sur le revirement qui l'avait conduit à accomplir les tâches demandées et qui illustrait bien le passage du « Moi contre Toi » au « Nous ». « Au début, m'expliqua-t-il, je me suis seulement dit que je me moquais de l'état de la salle de bains et que j'avais horreur de peindre. Surtout, cela ne servait à rien d'avoir des portes extérieures flambant neuves, puisqu'elles se saliraient et s'abîmeraient de nouveau. Puis je me suis rendu compte que c'était une fête pour Marie et je voulais qu'elle ait du plaisir. Alors, j'ai regardé la maison de son point de vue et j'ai fait les choses comme elle le souhaitait. »

Pour ouvrir la voie vers le niveau quatre, Lawrence aurait pu demander à Marie : « Que puis-je faire pour t'aider à organiser ta fête ? » Plus encore : il aurait pu faire le tour de leur logement, dresser une liste des choses à arranger, la soumettre à sa femme et décider, avec elle, de la marche à suivre.

Dans une relation au stade trois, chaque individu commence à vivre le conflit intérieur, inhérent au double désir d'être à la fois en accord avec soi-même et proche de l'autre. Cependant, l'intimité est parfois perçue comme une perte d'autonomie. Par exemple, si l'un a envie de passer l'après-midi à regarder le football à la télévision et que l'autre demande une promenade en forêt, le premier se sentira déchiré. S'il accepte de se joindre à sa compagne pour passer un moment ensemble, il aura l'impression de renoncer à une partie de lui-même, au lieu de considérer cela comme un simple changement de plan. Cela peut susciter un certain ressentiment.

Rick et Joni, mariés depuis vingt-cinq ans, sont à l'évidence en train d'opérer la transition entre les niveaux deux et trois. Lors d'une de nos séances, il me raconta le jour où, à l'aéroport, il s'était éloigné de la file d'attente à la cafétéria pour chercher une table, sans prévenir sa femme. Elle s'était sentie abandonnée comme une petite fille : une dispute prévisible s'ensuivit. Mais ils avaient réussi à se calmer et s'étaient sentis fiers d'avoir échappé à leur ancien schéma. Cela témoignait d'un progrès évident vers un changement de niveau. J'ai donc demandé à Rick comment, de son point de vue, il avait réagi différemment.

« Ça a commencé par la querelle habituelle. Elle était blessée et furieuse, et je me sentais terriblement piteux. Cela m'a semblé trop pénible à supporter et j'avais envie que cela cesse. Alors, je me suis d'abord conduit en mâle typique : je lui ai lancé toutes sortes de reproches pour clore le conflit et ne pas avoir à continuer la bagarre dehors et me faire casser le nez. En même temps, je me demandais : "Quel âge as-tu en ce moment ?", et cela a généré une brève interruption dans la frénésie de mes pensées. Comment pouvais-je agir différemment ? Sur le moment, je ne suis pas arrivé à grand-chose, mais comme j'étais tellement content de nos progrès, le lendemain matin j'en ai parlé à un ami des Alcooliques anonymes. Il m'a aidé à voir combien je la dénigrais. Alors, je suis passé à son bureau pour m'excuser. » Rick avait franchi trois étapes importantes ouvrant la voie vers le niveau 3 et au-delà. Il avait réfléchi sur lui-même, pris conseil auprès d'une tierce personne et présenté ses excuses.

J'interrogeai alors Joni, seule, sur sa perception de l'incident. Au début, elle se dit ravie que son mari se soit enfin conduit comme un adulte en lui demandant pardon. Mais après une séance approfondie, elle comprit que sa panique et sa frayeur lui appartenaient, à elle et à personne d'autre, et qu'elles avaient contribué à envenimer la situation. Ce soir-là, elle décida donc de parler à son mari pour lui expliquer ce qu'elle avait éprouvé et lui demander de la prévenir s'il devait s'éloigner dans de pareilles circonstances. Rick accepta de bon gré. Puis il lui demanda avec un sourire :

– Quel âge avais-tu à cet instant ?

– Tu ne vas pas m'en tenir rigueur ?

– Non.

– Cinq ans.

En réfléchissant sur eux-mêmes, en s'appropriant leur ressenti, en exprimant ce qu'ils éprouvent et en entretenant le dialogue dans un esprit de découverte et non de reproche, ils s'acheminent très sûrement vers une relation de niveau 3. Ils connaîtront indubitablement de nombreux écarts de conduite, mais chaque petite victoire rendra le processus de plus en plus facile et naturel.

Que faire pour accéder au niveau 3 et au-delà ?

1. Continuer les exercices du niveau 2.

2. Identifier les conflits intérieurs et en parler ensemble. « J'aimerais être avec toi et aller me promener, mais j'ai envie de regarder ce match de tennis à la télé. » Ne pas se sacrifier, ni faire une chose qu'on regrettera ou qui provoquera du ressentiment.

3. Négocier des moments d'intimité et de distance. Parler de son ambivalence à ce sujet. Rester honnête.

4. Quand on ressent des émotions contradictoires, s'interroger sur son âge intérieur à cet instant, puis réfléchir sur son propre comportement. Se demander : « Comment agirais-je si j'étais adulte, si j'étais l'amant et l'ami ? »

5. Présenter ses excuses quand on a incriminé, déprécié ou humilié le partenaire. Assumer la responsabilité de ses paroles.

6. Continuer à observer les polarités de la relation. Se demander si l'on se reconnaît dans le comportement de l'autre.

Un exercice consiste à écrire tout ce qui nous agace chez notre conjoint et à identifier chez nous des traits similaires ou parallèles, des comportements semblables lors de circonstances passées.

Ensuite, notons tout ce que nous aimons et apprécions chez notre conjoint, et voyons si cela correspond à des qualités que nous possédons nous aussi.

7. Inverser les rôles. Choisir une dispute récurrente et la mettre en scène, chacun prenant la place de l'autre.

8. Animé par l'intention de vraiment écouter sa réponse, demander au partenaire : « Est-ce que je sais t'aimer de la bonne façon ? Te sens-tu compris ? Que pourrais-je faire pour améliorer notre relation de couple ? »

Telle est la base de l'éveil et de la création d'une véritable relation d'amour. Lorsque deux êtres s'unissent dans ce processus, avec la volonté de fournir les efforts nécessaires pour améliorer leur rapport, ils peuvent sortir de leur impasse et insuffler à leur couple de nouveaux degrés de tendresse, d'humour, de bienveillance et de passion.

⑧ Niveau 4 : Naviguer sereinement entre intimité et séparation

À ce stade, que Johnson et Scarf intitulent « tolérer l'ambivalence », chaque personne discerne mieux les pressions profondes exercées par ses désirs et besoins. Les deux conjoints ressentent cette envie conflictuelle de proximité et de distance en eux-mêmes et peuvent formuler leur ambivalence ou leur confusion. Ils éprouvent une plus grande tolérance à l'égard de leur complexité interne respective et assument la responsabilité de leurs sentiments, car ils en ont conscience.

À ce niveau, notre monde intérieur devient plus dynamique et intriqué. Les conflits ne sont plus bidimensionnels : qui a raison/qui a tort ; ton point de vue/mon point de vue. Chacun envisage la situation des deux côtés de la relation.

Un exemple : alors que je dînais avec mes amis Margaret et Allan, mariés depuis vingt-huit ans, je leur demandai s'ils prendraient des vacances en été. Margaret lança un regard complice à son époux avant de me répondre : « Nous avons eu nombre de discussions à ce sujet. Allan souhaite se rendre à une réunion familiale et il aimerait que je l'accompagne. Quant à moi, j'apprécie ses proches et j'adorerais être avec lui. Mais je me suis demandé : "De quoi ai-je besoin en ce moment ?" Je n'ai guère eu le temps de développer mes côtés créatifs en raison de mon travail et de l'entretien de la maison. Alors j'ai décidé de participer à un stage de poterie d'une semaine. Je sais que cela ne réjouit pas Allan, mais c'est ce qui me semble juste. »

Allan ajouta : « Je suis triste qu'elle ne vienne pas. C'est tellement plus sympathique quand nous sommes ensemble dans ces fêtes de famille. Mais je comprends totalement son besoin et cela ne m'empêchera pas de m'amuser. »

La description que Margaret me fit du problème témoigne de son entière conscience et acceptation concernant ses propres besoins de proximité et de séparation. Cela lui a permis de prendre sa décision sans fournir de faux prétextes, typiques des niveaux 2 et 3. Elle reconnaît les sentiments de son conjoint avec compassion et pourtant opte pour un choix en accord avec elle-même. Aucun des deux ne se sent blessé, rejeté ou négligé, personne n'a raison ni tort. Elle fait simplement écho à son propre courant de conscience et se laisse porter par lui. De même, Allan confirme son désir d'être avec elle, tout en comprenant son aspiration à la séparation et en sachant qu'il pourra néanmoins passer un agréable moment.

Paradoxalement, dès lors que nous acceptons nos conflits sous-jacents, ces derniers ne prennent plus de proportions démesurées, car nous les considérons comme naturels, voire fascinants. Cela souligne une fois encore que notre engagement individuel à la conscience repose au cœur de notre chemin spirituel et de notre capacité à générer l'intimité dans notre vie.

À ce niveau, les gens ressentent une stabilité intérieure et une aptitude à formuler leurs besoins, de sorte que l'intimité n'implique pas le risque de se laisser engloutir par l'autre. Chacun a un refuge intérieur fiable. Chacun des partenaires prend garde à ne pas traiter l'autre comme un objet destiné à combler ses manques. L'idée de faire l'amour pour satisfaire une pulsion individuelle et unilatérale semble alors déplacée. Aucun d'entre eux ne voudrait infliger cela à l'autre, ou à lui-même.

Parce qu'ils renoncent à leurs attachements plus facilement qu'aux stades précédents, les conjoints sont plus au contact de leur nature essentielle et éprouvent davantage de légèreté et de joie au sein de leur relation.

Niveau 5 : Je et Tu – Nous sommes un, nous sommes deux

> *Veux-tu savoir ce qui est dans mon cœur ?*
>
> Ryokan

À ce stade, nous avons atteint la terre promise de la relation amoureuse : le pays où deux êtres partagent leur vie en toute harmonie. Nous sommes à la fois amoureux de l'autre et de la vie. Les polarités proximité/séparation, précédemment problématiques, se sont dissipées. Il n'existe plus – ou presque plus – de conflit interne entre l'intimité et la distance, car l'on tire du plaisir et du sens du seul fait d'être ensemble et d'être séparés.

Nous pouvons fusionner avec la personne aimée, donner, partager, faire l'amour sans retenue, car nous ne redoutons pas de nous perdre nous-mêmes. De même, nous pouvons vivre la séparation sans craindre la solitude ni éprouver de peur, parce que nous nous sentons intensément vivants et que l'amour de notre conjoint nous habite au plus profond. À ce niveau, les deux membres du couple ont « quitté la maison » et sont pleinement mariés l'un à l'autre. Cela se reflète dans leur loyauté et leur désir de s'apporter mutuellement du plaisir, du réconfort et de l'affection.

Comme la notion de relation est pleinement intégrée, des caractéristiques telles que la dépendance et l'indépendance sont considérées comme des aspects naturels. Elles ne sont pas contradictoires, mais ont toutes deux leur place, tout comme la séparation et la proximité sont vécues comme une danse, dotée de ses rythmes et harmonies propres. Les deux conjoints ont accès à un large éventail d'émotions et de sentiments. Chacun peut se montrer tendre et fort, passionné et doux, passif et affirmé. Dans la plénitude de leur existence individuelle, ils s'enrichissent mutuellement. Ils apprécient toutes les saisons, y découvrant en permanence quelque chose à savourer et à espérer.

Les conflits qui surviennent ne recèlent ni sens caché ni interrogation sous-jacente, susceptibles d'entretenir un contentieux inconscient : « M'aimes-tu ? Est-ce que je compte pour toi ? Ai-je de la valeur ? Vas-tu me quitter ? » Chacun manifeste une évidente bonne volonté à résoudre les problèmes, à la fois pour lui-même et pour l'autre. Il n'y a pas de ligne de démarcation entre le conflit et l'amour.

En termes bouddhistes, chacun a intégré la signification de la bienveillance et de la compassion. Cela ne relève plus de son comportement, mais de sa nature. Le niveau 5 ne correspond pas à un état statique ou figé. Parfois, on peut retomber aux stades 4 ou 3. Mais nous nous sommes engagés à regarder lucidement le présent, à assumer la responsabilité de nos sentiments et à reconnaître nos attachements, sans les projeter sur notre conjoint au travers de récriminations et d'hostilité.

Le passage d'un niveau à un autre

Ces transitions s'effectuent de nombreuses manières. Parfois, il s'agit d'un moment de grâce et d'éveil, où une personne se dit : « Je ne veux plus vivre ainsi. » Certaines ont provoqué un tel changement après avoir suivi un séminaire. D'autres ont accédé à une compréhension nouvelle en lisant des ouvrages ou en observant des amis. Parfois, ce passage est catalysé par un sentiment de vide et de douleur. Il arrive aussi, après une certaine période de stabilité, que des personnes éprouvent un soudain élan de force qui les pousse à se montrer plus honnêtes au sein de leur couple. Enfin, les psychothérapies, retraites en tous genres et pratiques spirituelles peuvent aussi jouer un rôle décisif dans ce processus.

Quelquefois, si l'un des conjoints est passé au niveau supérieur, cela incite l'autre à le suivre. Par exemple, peu après la célébration de ses noces avec Paul (un troisième mariage pour tous deux), Haley reçut un document stipulant qu'en raison de son veuvage elle avait droit à une pension de 63,52 dollars par mois, à condition de ne pas être remariée. Elle lut cette lettre à Paul, puis ajouta en riant : « Si j'avais su, je ne t'aurais pas épousé ! » Visiblement offensé, Paul sortit en claquant la porte. Haley attendit un moment avant de le rejoindre.

« Paul, je comprends que cela ait pu te blesser... mais... (sourire) il faut que tu t'y habitues : je plaisante souvent. » En lui parlant ainsi, Haley reconnaissait les sentiments de son compagnon et l'invitait à la rejoindre à un plus haut niveau de différenciation. Si elle en avait nourri de la culpabilité et avait résolu de bâillonner un peu son humour, ce couple aurait pu retomber au stade 2 ou 3.

D'ailleurs, en repensant à l'incident, Paul avoua : « La chose la plus importante que j'ai apprise de Haley, c'est de garder le sens de l'humour. J'ai grandi dans une famille très sérieuse, et Haley m'a évité de me conduire en permanence comme un docte professeur. »

Haley reprit, en riant : « Au début de notre mariage, je lui lançais des phrases comme : "Combien dois-je te payer pour cette leçon ?" » Sa gaieté constante et l'adoration qu'il lui vouait se combinèrent pour les mener vers une merveilleuse union d'amour.

Où que nous nous trouvions sur cette carte de la relation, souvenons-nous qu'en cultivant une conscience croissante de notre monde intérieur, nous pouvons opérer des changements spectaculaires au sein de notre couple. Et il s'agit d'une aventure très gratifiante, d'un voyage digne de nos plus grands efforts.

6

La communion
est le but de la communication

♠ La danse de la communication

> *Sons... Rythmes... Vibrations... Mots...*
> *La communication est le moyen par lequel la conscience s'étend d'un*
> *lieu à un autre.*
>
> Judith Anodea, *Wheels of Life*

La communication, c'est envoyer et recevoir des informations, des pensées, des idées et des émotions. Teintées de nuances infinies, nos paroles se combinent au rythme, au ton, à la profondeur et au timbre de notre voix. Lorsque nous sommes en accord avec ce que nous disons, notre regard, notre voix et nos gestes sont en harmonie.

Le fondement de l'écoute et de la compréhension réside dans un esprit ouvert et désencombré, disposant de l'espace nécessaire pour entendre l'autre. Cela nous renvoie à l'esprit du débutant – dénué de peurs, d'attentes et de jugements. Si des craintes et des critiques surviennent, nous pouvons les observer comme de simples pensées et ne pas nous identifier à elles, ni les considérer comme la vérité. Nous pouvons les laisser dériver dans notre tête, tels des nuages dans le ciel, afin de rester présents à nous-mêmes et à notre interlocuteur.

La véritable écoute signifie entendre ce qui se dit entre les phrases, l'intention derrière les mots. Dès lors, nous ne relevons pas les incohérences mineures ni les fautes de grammaire. Comme la méditation implique une conscience de l'instant sans discrimination, nous pouvons aborder une conversation avec ce même désir de rester à l'écoute de tout ce qui est exprimé.

Chaque échange verbal revêt une harmonie, un rythme et un niveau de contraste qui lui sont propres. Certains moments se révèlent propices à l'empathie, d'autres à l'argumentation, à la résolution d'un problème ou à la décompression. Lorsque nous écoutons une personne raconter sa journée, nous n'avons pas besoin de commenter ses propos ; nous pouvons tout au plus les ponctuer par des « Ah ! », « Oh ! », « Vraiment ? », « Dommage ! », « Ça alors ! », « C'est dur ! »… Nous pouvons encourager notre partenaire à mieux décrire son expérience en lui posant des questions : « Et qu'est-ce que cela t'a fait ? », « Qu'est-ce qu'il a répondu ? » En revanche, si l'autre nous fait part de son désarroi et nous demande de l'aider à dénouer une situation, nous pouvons jouer un rôle plus actif. Quand il sollicite des conseils ou des idées, nous pouvons lui en soumettre – de manière simple et claire. Et si chacune de nos suggestions se heurte à un « Oui, mais… », nous pouvons cesser et conclure : « Eh bien, j'espère que cela s'arrangera pour le mieux. »

Une conversation s'ouvre souvent par de petits contrats : « J'ai besoin de ton avis sur une situation difficile. Tu as le temps d'en parler ? », « Je peux te raconter la dure journée que j'ai passée ? », « J'ai une bonne nouvelle à t'annoncer. Veux-tu que je te la dise ? », « As-tu envie d'entendre comment s'est déroulée ma visite chez le médecin ? », « Puis-je me plaindre pendant quelques minutes ? »

Il n'existe pas de règles définies, ni de manière unique de converser. La communication est une forme de communion, ce qui signifie échange et connexion.

❷ Se rappeler les bases d'une bonne communication

La plupart des gens affirment qu'une bonne communication constitue le fondement d'une relation solide. Malheureusement, nos schémas habituels de honte et de peur entravent notre accès à l'intimité et au lien. Nous commençons à écouter, et soudain nous nous retrouvons sur la défensive. Notre esprit vagabonde et s'égare. Nous connaissons déjà la chanson.

La plupart d'entre nous n'ont pas conscience de leurs mécanismes de communication, ou seulement par intermittence. Nous remarquons les automatismes énervants chez les autres, rarement chez nous-mêmes. Et parfois, même si nous les identifions, nous ne parvenons pas à les interrompre, et ramenons la conversation à nous. Les suggestions suivantes peuvent nous aider à devenir plus réceptifs dans notre écoute et plus simples dans nos propos.

Pour mieux écouter

1. Respirer profondément, détendre son ventre et se pencher légèrement en arrière, pour adopter une position réceptive et non sur le qui-vive. Rester concentré sur la respiration et la détente.

2. Écouter avec l'intention de comprendre et de pénétrer dans le monde de l'autre, sans donner de leçon, analyser, réparer, interrompre ou se défendre.

3. Rester à l'affût de nos envies de couper la parole, de prodiguer des conseils, de minimiser la douleur ou de parler de nous. Inspirer profondément.

4. Vérifier notre motivation à la première envie d'intervention. Sommes-nous poussés par un inconfort ou un jugement ? Avons-nous hâte de faire taire les inquiétudes de notre interlocuteur, de l'égayer ou de parler de nous ? Si tel est le cas, mieux vaut attendre. Respirer, rester en retrait puis, quand une idée dénuée de jugement ou d'intention de changer l'autre nous vient à l'esprit, alors nous pouvons l'exprimer.

5. Montrer que nous écoutons. Si parfois garder le silence suffit, il peut être utile de dire : « Oh ! tu a l'air vraiment contrarié. C'est une situation difficile. » L'autre poussera sans doute un soupir de soulagement, car il se sentira entendu.

6. Remarquer si une conversation prend un rythme spontané et harmonieux d'écoute et de réponse. Enregistrer cette impression.

7. Si on doit mettre un terme à un échange, le faire savoir en disant : « Excuse-moi. Je ne veux pas te froisser, mais il faut que je me remette au travail. J'espère que tout ira bien pour toi. »

8. Si une conversation prend un tour accablant ou semble aboutir à une impasse, l'interrompre en disant : « J'aimerais écouter ce que tu dis, mais tous ces détails me pèsent trop », ou : « Je n'ai vraiment pas envie de rentrer dans une discussion sur tout ce qui va mal. J'ai conscience de ces problèmes, mais je ne suis pas d'humeur à les entendre en ce moment. » En d'autres termes, dire la vérité… gentiment.

Pour mieux parler

1. Respirer, détendre les épaules et se concentrer sur le ventre, de sorte que les mots jaillissent d'un profond silence intérieur. Ne pas parler en retenant son souffle. Souvent, les gens prennent une grande inspiration et se mettent à parler vite, comme s'ils voulaient tout dire avant d'être arrêtés.

2. Se souvenir que le véritable lien provient généralement du partage de l'expérience personnelle.

3. Éviter l'excès de détails, aller au cœur du message. Des informations exhaustives sur les personnes ou sur les tenants et les aboutissants d'une situation occultent souvent l'essentiel de notre expérience. Se rappeler qu'il est souvent inintéressant d'évoquer, en long et en large, des personnes inconnues de son interlocuteur.

4. Prêter attention au niveau d'énergie de la conversation. Une véritable connexion se traduit par une impression de flux et de vie. Si l'énergie baisse, si on commence à éprouver un serrement ou un vide dans la poitrine ou si les

mots perdent de leur relief, mieux vaut s'arrêter et puiser dans sa propre expérience, exprimer ce qui se passe en nous ou mettre un terme à l'échange.

5. S'autoriser des moments de silence. S'arrêter après quelques phrases et respirer, pour que l'interlocuteur puisse réagir et de manière à rester à l'écoute de soi-même.

6. Prêter attention aux réactions de l'autre. Semble-t-il impatient ? Regarde-t-il ailleurs ? Tapote-t-il du bout des doigts sur la table ? Cela signifie qu'il n'est pas avec nous, nous devons donc nous interrompre. Nous pouvons aussi vérifier son état d'esprit en lui demandant : « Est-ce que je m'égare ? » ou « Tu dois partir ? »

7. Reconnaître le moment venu de clore l'échange. Parfois, nous voulons continuer à parler, parce que nous avons un lien agréable avec l'autre personne. Dans ce cas, nous pouvons le dire : « C'est un vrai plaisir de parler avec toi et je n'ai pas envie que cela s'arrête. » Ensuite, mieux vaut ne pas s'éterniser et mettre un terme à la conversation.

Il existe des façons courantes de bloquer l'échange lors d'une conversation. Généralement, cela signifie que nous ne sommes pas en harmonie avec le message et l'émotion véhiculés.

Nos façons de bloquer l'échange

1. Ramener la conversation à soi : « C'est comme moi… » Par exemple, l'un dit : « J'irai dans le Midi cet été. » Et l'autre répond : « J'ai un fils qui habite là-bas », puis il se met à parler de son enfant.

2. Analyser. L'une dit : « Je suis vraiment contrariée que Paul ait accepté un second poste. » Et l'autre commente : « Peut-être est-ce parce que… » Cela

sort l'échange du niveau émotionnel pour le transférer vers le plan cérébral de la seconde personne. Or celle-ci n'est pas vraiment présente, puisqu'elle ne réagit pas au sentiment exprimé par son interlocuteur.

3. Déplacer le sujet sur quelqu'un d'autre : « Ma sœur a le même problème. »

4. Ne pas réagir : rester inexpressif, le regard vide, jouer avec ses mains ou ses pieds, lever les yeux au plafond.

5. Lancer des affirmations paternalistes : « Tout le monde passe par là », « Ça va aller », « N'aie pas peur. Il n'y a pas de quoi s'inquiéter. »

6. Répondre par des platitudes : « Dieu ne te donne pas plus que tu ne peux supporter », « Je suis sûr que cette leçon te permettra de grandir. »

7. Changer radicalement de sujet : « Au fait, tu as entendu parler de ce magasin de sport qui vient d'ouvrir ? »

8. Interrompre pour demander des détails sans importance, tels que l'heure, la date, le lieu.... « Cela fait combien de temps que ça dure ? » « C'est arrivé où ? » Cela dévie la conversation de l'essence de l'expérience, pour la concentrer sur des faits et des chiffres qui éloignent du lien.

En résumé, s'il importe de tisser une toile d'échange en répondant à l'autre, la plupart d'entre nous feraient bien de ralentir le rythme, d'écouter davantage et d'attendre un peu plus avant de réagir. Ainsi, la réponse est plus authentique et plus riche de compréhension.

Si nous voulons modifier nos schémas, il vaut mieux opter pour un seul aspect à changer et nous concentrer dessus durant plusieurs jours. Cela peut constituer un exercice quotidien de vigilance. Par exemple, si nous avons tendance à nous perdre dans les détails, à énoncer des platitudes, à couper la parole, à prodiguer sans cesse nos conseils, nous pouvons choisir l'un de ces comportements, prêter attention à nos interactions durant la journée et noter ce qui se produit dans un carnet. Si nous nous surprenons à manifester l'un de ces travers indésirables, contentons-nous de l'observer, d'examiner notre respiration, la tension dans notre corps, et de nous demander ce que nous éprouvons réellement. Le soir venu, nous pouvons nous remémorer les différentes situations, ainsi que nos réactions, en nous demandant : « Que se passait-il en moi à ce moment là ? Qu'essayais-je de faire : impressionner l'autre, me défendre, prouver ma compétence, renvoyer une bonne image de ma personne ? »

Ne soyons pas trop sévères envers nous-mêmes. Restons concentrés sur un comportement donné pendant quelques mois, à moins de constater une transformation plus rapide. Il est parfois surprenant de constater les bouleversements intérieurs qu'une telle démarche suscite. À mesure que nous devenons plus réceptifs dans notre écoute et plus aptes à puiser nos paroles et nos réactions dans notre silence intérieur, nos relations changent.

Les idées développées ci-dessus ne sont que des fils conducteurs tirés de l'expérience. Le contexte de la relation constitue un facteur essentiel de l'équation. En compagnie d'amis proches ou de partenaires intimes, nous pouvons nous montrer plus actifs, intervenir et répondre plus souvent. Chaque relation, qu'elle soit amicale ou amoureuse, possède sa propre texture unique. Plus les interlocuteurs se connaissent, plus ils sont aptes à établir un lien authentique au travers d'une conversation.

③ Ne pas donner de conseils, du moins la plupart du temps

Je réponds avec compassion et amour aux problèmes des autres.
Ken Keyes, *Manuel pour une conscience supérieure*

Donner des conseils, c'est souvent une façon d'atténuer notre propre anxiété. Nous nous précipitons vers cet écueil par besoin de rendre toute situation heureuse et paisible. Si nous acceptons le fait qu'il n'existe rien d'intrinsèquement bon ou mauvais dans le conflit, l'inconfort, l'angoisse ou l'erreur, nous devenons aptes à nous positionner comme un ami rempli de compassion, au lieu d'accabler l'autre de suggestions pour l'empêcher d'éprouver ses émotions.

L'intimité réside dans le fait de simplement rester témoin l'un de l'autre et d'entrer en relation avec empathie et bienveillance. Si nous souhaitons une relation égalitaire et authentique, il faut absolument éviter les rapports hiérarchisés – professeur-élève ou meneur-suiveur. Généralement, les gens prodiguent des conseils pour ne pas révéler leurs sentiments et désirs personnels.

Par exemple, si mon compagnon envisage d'accepter un poste impliquant de sortir plus tard le soir, je peux essayer de le pousser à changer d'avis pour mieux s'adapter à mon emploi du temps, en lui envoyant des messages codés du genre : « Ne crois-tu pas qu'une telle charge de travail supplémentaire va t'épuiser ? » Il s'agit là d'une affirmation indirecte, concentrée sur lui et non sur moi. Pour rester en terrain sûr et non miné, je pourrais plutôt dire : « Cette idée ne me plaît pas vraiment, si cela implique que tu ne rentreras pas pour dîner. J'ai besoin que tu m'aides à m'occuper des enfants et j'aimerais passer du temps avec toi. Je suis prête à dépenser moins pour te voir davantage. » Ainsi, je reste de mon côté de la clôture et j'exprime ce que je ressens. Je ne lance pas des affirmations paternalistes, nuisibles à l'échange.

Cela étant, si nous éprouvons une irrésistible envie de livrer nos suggestions, il convient d'en demander la permission au préalable. Par exemple : « Ce que tu dis suscite chez moi une réaction très forte. Tu veux la connaître ? », ou : « Il me vient une remarque à ce sujet. Veux-tu l'entendre ? »

Je me souviens d'une de mes proches, qui avait annoncé à tous ses amis : « Je ne veux pas de conseil de quiconque. J'ai passé ma vie à suivre les suggestions de tout le monde, et maintenant j'ai envie de m'écouter moi-même pour changer ! » Si quelqu'un nous donne son avis, alors que nous ne le lui avons pas demandé, nous pouvons lui dire : « Les conseils ne me sont d'aucune utilité en ce moment. J'ai seulement besoin d'un peu de soutien. » En d'autres termes, nous devons le rassurer, en lui montrant que nous l'apprécions tout en continuant à fixer nos limites.

Parfois, nous voyons qu'une personne est sur une mauvaise pente. Dans ce cas, il peut sembler approprié de franchir la ligne et d'exprimer notre opinion de façon forte et directe, sans oublier de mentionner nos propres besoins : « Je suis tellement inquiète quand tu conduis ta moto après avoir bu. J'ai l'impression que tu cherches les problèmes et je ne voudrais pas que tu te retrouves à l'hôpital ou que tu blesses quiconque. » « J'aimerais que tu prennes rendez-vous pour cette mammographie. Cela me panique que tu n'aies pas encore téléphoné au radiologue. Je ne peux pas imaginer de te perdre. » « Ce qui se passe dans ton nouveau travail me préoccupe beaucoup. Tu rentres de plus en plus grognon et fatigué, et tu sembles incapable de refuser les heures supplémentaires. J'aimerais que nous passions du temps ensemble et qu'il nous reste assez d'énergie pour faire l'amour le soir. » De telles remarques sont d'autant plus efficaces si elles sont dites face à face, les yeux dans les yeux, et d'une voix claire et assurée. Il vaut mieux se limiter à une ou deux fois. Trop répétées, elles passent davantage pour des critiques ou des doléances.

Si notre partenaire n'acquiesce pas et n'agit pas selon nos souhaits, nous devons cesser d'orienter notre attention sur lui et nous concentrer sur nous-mêmes, car nous ne pouvons changer autrui. Cela peut être très douloureux. Ma mère était atteinte d'une angine de poitrine et mon cœur se serrait lorsque je la voyais souffrir et se précipiter sur ses médicaments. J'aurais voulu qu'elle suive un régime, fasse de l'exercice, subisse l'opération recommandée par son cardiologue ou consulte un nutritionniste. Mais elle s'obstina à endurer des crises douloureuses fréquentes, puis mourut plus jeune qu'elle n'aurait dû. Pourtant, je suis contente de ne pas l'avoir harcelée lors de notre dernière conversation téléphonique, la veille de son décès. Comme j'avais lâché prise, quoique avec grande tristesse, notre ultime échange fut rempli d'amour et de joie.

La décision de formuler nos recommandations se fonde sur notre connaissance de notre interlocuteur. Ce qui peut apparaître comme de la préoccupation ou de l'intérêt pour une personne sera perçu comme de l'ingérence ou de l'intrusion par une autre. Un jour, tandis que je passais des vacances chez mon oncle à la campagne, je m'apprêtais à faire le tour du lac à vélo quand ma tante me dit : « Ne va pas sur la route. C'est dangereux, avec tous ces camions. » Quand je racontai cela à une amie, elle répliqua immédiatement :

« Cela a dû t'énerver. Comme si tu ne savais pas ce que tu faisais ! » « Non, lui ai-je répondu. Je me suis sentie aimée. J'ai si rarement vu quiconque s'inquiéter pour moi. »

Pour résumer : évitons de prodiguer des conseils non sollicités, demandons la permission de le faire si nous en ressentons le besoin et, si nous franchissons cette limite, restons clairs et pertinents, puis mettons-nous en retrait, en nous rappelant que chacun doit trouver sa propre voie. Dès lors que nous renonçons au contrôle, nous pouvons nous unir à l'autre dans le silence, là où la vérité résonne, là où nous entendons les battements de nos cœurs à l'unisson, réunis dans l'amour.

❹ Ne pas demander de conseils, ou rarement

> *Quand l'enfant navajo demandait à sa mère un conseil sur une question particulière, elle lui répondait : « Place cela en ton centre sacré et dors dessus. »*

Si nous considérons les autres – notre partenaire inclus – comme des experts, nous déprécions notre sagesse intérieure. Si nous cherchons des professeurs, des prêtres, des chamans, des gourous, des mentors de toute espèce pour nous montrer le chemin, cela signifie que nous présumons l'existence d'une voie unique. Nous renforçons aussi notre perception de notre moi comme « ne sachant pas la réponse » ou « moins compétent que tout le monde ». Nous devons comprendre que la sagesse réside dans l'expérience, l'observation et la réflexion, filtrées par notre tête et notre cœur. Elle émane d'elle-même. Les enseignants ont peut-être des choses utiles à nous apporter, mais au final nous devons écouter en nous-mêmes. Mieux vaut parler en résonance avec notre authenticité, même si nous balbutions maladroitement, que répéter machinalement les paroles d'autrui.

Lorsque nous tentons d'entendre notre guide intérieur, nous pouvons être assaillis par de multiples échos qu'il convient de trier : « Je veux travailler plus dur », « Je veux davantage de temps libre », « J'ai peur de perdre mon emploi », « Peu importe ! Allons prendre un verre ! » Pour identifier ces voix internes, nous pouvons nous interroger : « Quelle est celle de l'enfant inquiet ? Celle de la sagesse, de mon moi adulte ? »

Parfois, en cas de conflit entre nos diverses aspirations, il se révèle bénéfique de placer notre question ou notre préoccupation « en notre centre sacré », avec la certitude que la solution viendra en son heure. Au lieu de nous efforcer de comprendre, nous pouvons nous engager dans la vie : écumer les rayons d'une librairie, parler à des amis, nous promener dans un parc, écouter le chant des oiseaux. Quand nous ouvrons tous nos sens réceptifs pour nous mettre en harmonie avec le monde, les réponses à nos questions remontent à la surface naturellement, sans effort.

Si notre cerveau tourne sans cesse autour de la même pensée, nous pouvons nous demander : « Qu'éprouverais-je si je m'autorisais à connaître la vérité sur cette situation ? » Généralement, si nous devenons obsessionnels, c'est pour éviter de savoir. Nous refusons d'affronter une vérité déplaisante, susceptible de perturber notre existence.

Comment cela s'applique-t-il au couple ? Dans une relation égalitaire, où les deux conjoints ont accès à leur sagesse intérieure, ils peuvent pleinement entrer en communication. Ils ne jouent pas les rôles de professeur-élève ou de parent-enfant. Leurs conversations se transforment en un riche entrelacs de réactions, de pensées et d'émotions, telles qu'elles jaillissent dans l'instant, pour créer un échange créatif, plein de fraîcheur et d'originalité. Ils ne parlent plus à la place de l'autre, mais alimentent le feu de leur inventivité et de leur imagination.

⑤ Se défendre sans se mettre sur la défensive

À un moment de mon parcours, on m'a dit d'écouter autrui sans être sur la défensive. Mais je confondais « être sur la défensive » et « défendre mon point de vue ». Si l'on me critiquait, je croyais devoir accepter les propos de l'autre sans réagir. Bien sûr, en n'exprimant pas ma réalité, je ne me montrais pas honnête et je cessais de prendre soin de moi.

Nous devons savoir distinguer les moments où nous nous mettons sur la défensive de ceux où nous honorons et protégeons notre moi essentiel. Certains d'entre nous ont été conditionnés à penser immédiatement que tout ce qui allait mal était leur faute. Lors de mes thérapies de groupe avec des femmes, si l'une des participantes se mettait en colère et quittait brusquement la pièce, je demandais aux autres personnes : « Combien d'entre vous se disent qu'elle est partie à cause de ce que vous avez dit ou fait ? » La moitié d'entre elles, sinon plus, levait la main. Évidemment, aucune n'était responsable. Cette femme était sortie, un point c'est tout. Malheureusement, si nous sommes habités par une culpabilité constante, nous trouvons toujours le moyen de nous incriminer nous-mêmes, quelles que soient les circonstances. Si une critique qui nous est adressée recèle une infime parcelle de vérité, nous pensons : « J'ai peut-être fait quelque chose de très grave. » Nous devons trouver en nous ce noyau solide et profond qui nous sert de repère et nous permet de nous reposer en toute sécurité en nous-mêmes.

Ma thérapeute me hurlait pratiquement dessus, quand je me blâmais à tort : « Charlotte, vous n'avez rien fait de mal ! Vous vous trahissez vous-même ! Il faut vous défendre et dire ce que vous éprouvez ! » J'entends encore ses paroles résonner dans ma tête, pénétrant le brouillard de culpabilité et de doute qui m'empêchait de me défendre. Je lui suis à jamais reconnaissante de cette virulence.

Nous devons être capables de déclarer : « Non, ce n'était pas mon intention, ni ma perception de la situation. Ce n'est pas ainsi que je l'ai vécue. » Point n'est besoin de débattre ou d'argumenter ; il suffit d'affirmer son point de vue. Si notre conjoint ou ami interprète mal nos propos, déforme nos paroles ou dit des choses fausses sur nous, nous devons, gentiment mais clairement, lui donner notre avis.

Nous n'avons pas besoin de la validation d'autrui pour nous fier à nos perceptions. Si quiconque nous dit que nous avons tort, ne nous effondrons pas, en croyant sa vision plus juste que la nôtre. Nous pouvons l'écouter, mais souvenons-nous de revenir à nous et à notre centre sacré. Sur le chemin bouddhiste, nous ne voulons pas créer la séparation, mais cela inclut la séparation entre nous et nos émotions ou notre ressenti. Ceux qui restent silencieux, par crainte d'exprimer leur vérité, autorisent la peur à contrôler leur vie.

Les rapports harmonieux sont le fait de deux individus adultes, ouverts, honnêtes, qui s'unissent pour s'aider mutuellement à donner le meilleur d'eux-mêmes. Si nous gardons le silence et permettons à l'autre de nous blâmer, nous le confortons dans sa mauvaise perception. Cela brouille la relation. Il importe de ne pas se compromettre dans un tel arrangement mensonger, qui nous empêche d'entretenir un lien profond et authentique. Dans l'esprit d'un Nous, nous voulons connaître la vérité et comprendre le point de vue de notre partenaire.

⑥ Apprendre l'art de s'excuser

Être humain, cela signifie parfois savoir dire : « Je suis désolé. » Même si nous n'avons pas l'intention de causer du tort, notre comportement peut être perçu comme blessant, insensible ou cruel. Alors, pour retrouver le lien du Nous, nous devons reconnaître la douleur éprouvée par l'autre et l'écouter nous expliquer la façon dont notre attitude l'a affecté. Ensuite, nous pouvons présenter nos excuses et montrer, par nos paroles, que nous comprenons : « Je suis navré. J'ai tenu des propos irréfléchis et je vois combien ils ont pu t'offenser », « Pardonne-moi d'avoir pris cette décision sans te consulter. C'était une erreur : j'aurais dû te demander avant ». L'important dans une telle démarche consiste à rester concentré sur notre conjoint (ou notre ami), en reconnaissant l'impact de notre comportement. Déverser d'emblée un flot de justifications et de raisons, c'est rester focalisé sur soi-même.

Après avoir présenté nos excuses, nous pouvons parfois nous expliquer : nous étions coincés dans les embouteillages, le magasin était fermé, la réunion avec ce client s'éternisait… Ce sont des raisons compréhensibles, mais il faut toujours reconnaître le désagrément vécu par l'autre. Mieux vaut aussi éviter les faux arguments, dignes d'un gamin désobéissant, à moins de les annoncer avec humour : « Tu veux entendre mon alibi minable ? » En général, si nous nous conduisons de façon désobligeante, il vaut mieux l'admettre : « Je savais que je me mettais en retard, mais j'ai continué à parler au téléphone. Je sais bien ce n'est pas une excuse. Je me sens vraiment mal de t'avoir fait attendre. »

Apprendre l'art de s'excuser consiste principalement à explorer notre motivation profonde en nous demandant : « Pourquoi ai-je continué mon shopping, sachant qu'il était l'heure de rentrer ? Pourquoi me suis-je mis dans une telle colère et ai-je lancé une phrase aussi méchante ? Avais-je l'intention de blesser l'autre ? Avais-je accumulé du ressentiment, ou s'agit-il seulement d'une mauvaise habitude ? » Nous devons réfléchir à ce qui se passait en nous sur le moment.

Quand nous causons du tort, nous devons faire amende honorable. Cela revient à transformer notre amour en acte. Si nous contrarions notre conjoint, nous pouvons lui préparer un bon repas, ranger la cuisine, l'inviter au cinéma, passer l'aspirateur – autrement dit, lui redonner ce que nous avons pris, à savoir du temps et de l'énergie. Notre action ne doit pas être le fruit d'un sentiment de culpabilité. Nous devons plutôt nous sentir animés par la conscience que l'erreur est humaine.

Pour maîtriser mieux encore ce domaine délicat, nous devons nous rappeler ceci : il ne suffit pas d'exprimer nos remords chaque fois que nous nous conduisons mal. Notre décision de rectifier notre comportement doit répondre à une véritable voix intérieure. Nous n'essayons pas de bien faire, nous nous engageons à rester en accord avec nous-mêmes et à vivre en toute intégrité.

Considérons à présent une autre possibilité. Une personne affirme avoir été blessée par notre attitude et nous n'en comprenons pas la raison. Devons-nous présenter nos excuses si nous n'avons pas l'impression d'être en tort ? Dans ce cas, nous pouvons reconnaître la perception de l'autre, puis lui livrer notre perception de la situation : « Je me rends compte que tu t'es senti offensé par mes propos et j'en suis sincèrement désolé. Je n'avais aucun désir de te blesser. Je crois que tu as mal saisi mon intention. »

Si nous nous sommes excusés, mais que l'autre s'obstine à ressasser le sujet, nous pouvons lui demander : « Je t'ai déjà dit combien j'étais navré. J'ai reconnu mes torts. Que veux-tu d'autre de moi ? » Ce peut être un moment propice pour parler plus en profondeur de la relation, ou une occasion pour inciter l'autre à réfléchir sur ses propres motivations : « Pourquoi est-ce que je m'accroche à cette contrariété ou à cette colère ? Pourquoi ai-je besoin de reparler de cette histoire ? Ai-je accumulé d'anciens griefs qu'il me faut exprimer ? Cette fixation sur l'erreur de mon partenaire me sert-elle à exercer un pouvoir sur lui, en entretenant son sentiment de culpabilité ? »

Les perfectionnistes ont parfois du mal à présenter leurs excuses et à demander pardon, car cela implique de révéler leurs failles, qu'ils considèrent comme dégradantes ou méprisables. Or une personne sur la défensive blâmant l'autre au lieu d'admettre ses erreurs se dévoile tout autant : en effet, elle avoue implicitement avoir quelque chose à se reprocher et dont elle a honte.

À présent, voyons comment recevoir des excuses. Si l'autre reconnaît sincèrement ses torts, nous devons l'écouter et faire de notre mieux pour accepter ses excuses. Du reste, cela apporte souvent un tel soulagement que nous parvenons assez facilement à passer l'éponge. Si nous persistons dans notre rancœur, la rupture reste vivace, en nous et au sein du couple. Parfois, nous continuons d'éprouver des relents d'amertume : nous avons alors besoin de parler davantage de ce qui s'est produit ou de sonder nos motivations, nos raisons de nous accrocher à nos griefs. Il est essentiel de rester clairs vis-à-vis de nous-mêmes, car accepter des excuses signifie clore le sujet une fois pour toutes, donc ne plus en parler.

Il n'est jamais trop tard pour faire amende honorable. Quand nous donnons ou recevons le pardon, nous ouvrons notre cœur et libérons l'accès à ce lieu de tendresse au tréfonds de nous-mêmes. Ainsi, nous devenons une source de bienfaisance pour nous et pour autrui.

❼ Renouer le lien : pardonner et lâcher prise

Le pardon implique l'abandon des ressentiments, douleurs et désirs de compensation à l'égard d'une autre personne. Cela revient à dire : « Je ne te juge pas et tu n'as pas de comptes à me rendre. » Nous devenons aptes à pardonner si nous prenons le recul nécessaire pour comprendre que l'autre agit en fonction de son conditionnement. Nous n'apprécions peut-être pas ses actes et nous y voyons parfois de la malveillance ou de la cruauté. Mais en nous rappelant le principe bouddhiste selon lequel un comportement blessant découle de l'ignorance, de la douleur ou de la souffrance, nous finissons par éprouver de la compassion et de la mansuétude, puis cessons d'alimenter notre colère et notre réprobation. Mais ce n'est pas toujours facile.

Quand nous sommes blessés par une personne chère à notre cœur, nous sommes assaillis par des pensées telles que : « Comment une personne que j'aime a-t-elle pu m'infliger cela ? Qu'ai-je fait de mal ? » Et nous voilà prostrés, anéantis ou étreints par l'envie de représailles et de contre-attaque. Cela déclenche en nous ce mécanisme de survie consistant à nous protéger, à nous murer, à nous fermer.

Au cœur du pardon réside la compassion aimante envers notre moi imparfait. Comme l'explique le maître bouddhiste Pema Chodron, si la nature du Bouddha est partout, alors elle se trouve aussi dans la colère, dans la perte de sang-froid, dans la peur. Nous ne pouvons échapper à notre nature de Bouddha, car elle est contenue dans chacune de nos actions.

Si j'ai fait la paix avec ma peur, mon impatience, ma douleur, mon désir de culpabiliser, j'accepterai ces mêmes sentiments chez autrui. Quand je regarde les choses avec compréhension et compassion, je peux pardonner. Je vois tes orages, tes nuages, tes éclairs, tout en me souvenant de ton soleil. Rappelons-nous : chacun agit comme il a été conditionné à le faire, et cela ne constitue aucunement un reflet de lui.

Dans la tradition juive, la fête de Kippour se concentre particulièrement sur le pardon. En cas de brouille avec autrui, nous devons pardonner ou demander le pardon, même si nous ignorons en quoi consistent nos torts. Si une personne refuse son pardon, nous devons le lui demander trois fois. Et si ces tentatives se révèlent vaines, les textes recommandent de ne pas nourrir de haine. À l'inverse, ne pas accorder notre pardon à une personne qui le sollicite en toute sincérité est considéré comme une offense aussi grande que notre affront premier.

Comme dans le bouddhisme, ici, l'objectif suprême revient à maintenir un lien d'amour : « Si je t'ai blessé de quelque façon, je le regrette. Cela n'a jamais été mon intention. Tu es pour moi un ami précieux. » Cette approche rappelle que les malentendus et les blessures profondes font partie de la condition humaine. Dès lors que notre conscience devient plus grande que le problème et notre amour plus vaste que le besoin de comprendre notre faute, nous perçons la carapace de notre cœur et retrouvons le lien qui nous unit à l'autre.

Le pardon est un véritable processus, impliquant différentes étapes parmi lesquelles la douleur, la colère, la tristesse, le désir de vengeance. Nous avons parfois besoin d'éprouver pleinement l'impact de ces émotions avant de pouvoir prendre le recul nécessaire permettant la compassion et la compréhension. Ceci nous ramène au fondement du bouddhisme, qui consiste à voir au-delà de nos conditionnements pour atteindre le cœur humain et nous montrer tendres envers nous-mêmes et les autres.

Le plus souvent, notre tâche principale consiste à nous pardonner nous-mêmes. Si je tiens des propos négatifs sur mon partenaire face à un tiers, il me faut considérer le mal que je m'inflige à travers cet acte. Quelle entaille ai-je faite à mon intégrité ? Pourquoi ai-je brisé mon engagement ? Pourquoi ai-je ainsi nui à ma relation ? Il est important de bien comprendre ceci : tout ce que nous faisons à autrui, nous le faisons à nous-mêmes. En manifestant notre colère, c'est nous qui serrons les dents et verrouillons notre cœur. La rupture avec une personne provoque une rupture en nous-mêmes. Si nous gardons à l'esprit ce principe essentiel, le pardon et la bienveillance envers nous-mêmes deviennent une discipline et une pratique quotidiennes.

J'ai interrogé Ruth, une amie mariée depuis trente-sept ans et dont la vie s'articule autour de la créativité et de la joie partagée. Voici sa réponse : « Le pardon est ancré très profondément au sein de notre couple et de notre foi chrétienne. Le pardon constitue le fondement et l'essence de notre capacité à aimer. Il naît de notre foi : nous pardonnons, car nous sommes pardonnés. La plupart des gens ne possédant pas cette conviction se refusent à penser qu'ils ont des raisons de se faire pardonner. Pourtant, nous avons beau essayer d'être parfaits, nous sommes tous confrontés à nos insuffisances. Quand on pardonne, on peut commencer à voir les autres avec un authentique amour. Je crois que chaque individu mérite d'être aimé, quelles que soient ses failles. »

Si nous sommes aptes au pardon mutuel au sein d'un couple, il n'est pas de réconciliation impossible. Que l'on considère cette notion sous l'angle du bouddhisme ou du christianisme, son essence reste la même. Nous sommes tous des êtres faillibles et imparfaits.

La réconciliation représente la bénédiction de deux personnes qui dépassent les douleurs, les fiertés et l'ego pour révéler leur cœur. Ainsi passons-nous de la séparation au lien, de la dissonance à l'harmonie. Nous dévoilons nos souffrances et nos blessures enfouies. Parfois, nous pleurons ensemble. Nous étions en désaccord, en désunion ; et nous revenons à l'accord, à l'union, au Nous. Plus nous nous réconcilions avec les personnes de notre entourage, grâce à notre capacité à pardonner, plus nous nous ouvrons à nous-mêmes. Au travers de nos expériences quotidiennes de pardon, reçu ou accordé, nous découvrons la vastitude merveilleuse de l'amour. C'est lui qui insuffle tant de beauté à la vie et nous permet de nouer d'authentiques relations.

7

Apprivoiser le conflit

❹ L'art de gérer le conflit

Comme une grande composition musicale oscille entre tension et légèreté, entre intensité et silence, la gestion des problèmes constitue une part intrinsèque d'une relation. La beauté du tout réside dans la somme de ces divers aspects, mêlés les uns aux autres.

Le plus important dans l'approche du conflit est la volonté partagée de pénétrer dans le cercle du Nous : accepter de se montrer honnête, vulnérable, de lutter ensemble, de se connaître mutuellement et d'œuvrer pour le bien du couple sans renoncer aux besoins de chacun. L'engagement dans la relation apporte un cadre sûr pour vivre les différences. Il implique un accord tacite : nous nous lançons ensemble dans cette aventure et nous gagnerons. Sans sécurité ni confiance, le conflit véhicule le danger de la perte et de la douleur. Au bout du compte, chacun essaie de se protéger, restant en retrait ou tentant de contrôler l'autre.

Parfois, nous sommes tiraillés entre notre désir d'un lien sincère et celui de dissimuler nos côtés déplaisants sous un masque. Souvenons-nous cependant : une apparence factice semble bien pâle, en regard d'un geste de tendresse, d'une touche d'humour, d'un regard chaleureux et d'une étreinte affectueuse. Nouer une relation, c'est se rendre vulnérable.

Afin de nous préparer à aborder les conflits plus sereinement, autorisons-nous, au préalable, à éprouver notre aspiration à la joie, à l'union, à la vitalité et à la passion sexuelle. Rappelons-nous : nos efforts pour nous ouvrir davantage nous donnent accès à un lien plus profond. Si notre couple dérive dans le brouillard, n'attendons pas passivement que les choses s'arrangent d'elles-mêmes. Nous sommes une composante vitale de l'équation, nous avons le pouvoir de changer la situation.

Rencontrer nos différences : choisir la bonne bataille

> *Là où il y a confusion (et le tumulte est la confusion — simplement en un peu plus bruyant), vous savez qu'il existe une chose que deux personnes ne veulent pas voir… Cela ne signifie pas qu'il faille avoir peur. Entrez dedans. Il est très possible que, sous le tumulte, se trouve une merveilleuse unité que vous redoutez encore tous deux.*
>
> Pat Rodegast, *Le Livre d'Emmanuel*

Il est naturel que deux individus choisissant de s'unir présentent des différences dans leurs tempéraments, habitudes, expériences, valeurs, éducations, connaissances, peurs, désirs et conditionnements. La question n'est pas de savoir si notre couple connaîtra le conflit, mais plutôt dans notre façon de l'envisager, de le nommer et de le gérer. Une sage approche des dissemblances engendre la sécurité et la confiance. Elle détermine, en grande partie, la profondeur et la qualité d'une relation. Certains se retrouvent souvent prisonniers dans des schémas d'impasse, parce qu'ils ignorent comment agir autrement.

Si nous ne sommes pas en accord avec nous-mêmes — si nous rejetons ou nions, souvent par honte, les aspects de nous que nous étiquetons « mauvais » —, le conflit nous semblera effrayant et dangereux, car nous résistons en fait à nous connaître nous-mêmes. Plus nous avons conscience de ce que nous sommes et plus nous nous acceptons, moins nous craignons la confrontation puisqu'elle n'implique pas de défendre notre ego, ni de risquer l'humiliation. Nous cherchons simplement à comprendre et à jeter un pont entre nous et l'autre, pour trouver une solution.

Gérer nos antagonismes de façon constructive, cela s'apprend et cela en vaut vraiment la peine. Cela exige de l'honnêteté, de la vulnérabilité et le désir d'écouter, de réfléchir sur soi, de changer. Ce processus nous ouvre la voie vers une meilleure connaissance de nous-mêmes et de notre conjoint, nous mène vers une intimité plus profonde.

La saine résolution d'un désaccord exige de tempérer notre identification à notre ego, qui veut avoir raison et gagner. En même temps, elle requiert un sens de notre identité à la fois solide et fluide. Nous devons cesser d'incriminer notre partenaire et explorer notre rôle dans la situation. Cela peut nous conduire à nous poser des questions difficiles, embarrassantes : « Suis-je déterminé à avoir le dessus ? Est-ce que je pense uniquement à moi ? Est-ce que je me résigne ou est-ce que je sacrifie mes valeurs, parce que j'ai trop peur ? »

Le processus implique de nommer le conflit, de recourir à un procédé de médiation, de trouver des solutions et de les mettre en pratique.

L'idée de médiation peut évoquer l'intervention d'un tiers. En réalité, dans ce contexte, le médiateur réside en nous. Ce conciliateur interne nous aide à lâcher prise sur nos attachements à nos idées et croyances, et nous rappelle que l'unité et l'amour représentent le bien supérieur, pour nous-mêmes comme pour notre partenaire.

Être le médiateur du conflit, cela signifie aussi que nous pénétrons tous deux dans le lieu du Nous, là où nous nous préoccupons du bien-être du couple et des deux individus. Au lieu de livrer une bataille pour la victoire, nous voilà incités à l'écoute, à la compassion et à la compréhension de la nature du conflit. Cela nécessite de dévoiler nos besoins et nos sentiments. Il est essentiel de nous rappeler que l'on ne peut pas se positionner comme médiateur et dans le même temps rester distant et cérébral. C'est notre vulnérabilité qui nous rend transparents l'un pour l'autre, qui ouvre notre cœur et nous mène à l'issue la plus positive.

Nous abordons cette conciliation dans l'intention de trouver la bonne solution. Nous nous relions à travers nos différences. Ainsi, le conflit devient un appel à écouter, à réfléchir, à aller plus loin, à comprendre le point de vue de l'autre et à trouver un modus vivendi acceptable par les deux conjoints. Cela requiert aussi la volonté de changer.

Sur un plan plus spirituel, la médiation consiste à rechercher la vérité, à sortir des schémas habituels et à vivre dans la réalité. Elle implique de revenir à l'instant présent, au lieu de se laisser contrôler par d'anciennes peurs. Lorsque nous nous dévoilons l'un à l'autre, nous devenons des alliés sur notre chemin spirituel.

Examinons le processus de résolution des problèmes lui-même. Comme nous le constatons dans les définitions du terme « résoudre », il s'agit d'accéder à une connaissance plus profonde d'une situation, d'explorer, de savoir et de comprendre. Résoudre ne signifie pas chercher la réponse à une question donnée ; cela implique un état d'esprit : le désir de dévoiler, de révéler, d'éclairer notre vie, d'être ouvert et éveillé.

Une véritable solution paraît bénéfique, ou du moins viable, pour le couple et pour chacun de ses membres. Cela ne signifie pas que les deux parties s'accordent totalement sur leur mode de vie, sur l'éducation des enfants, sur les questions financières. Mais elles trouvent un terrain d'entente et sont prêtes à rebondir ensemble à long terme : à écouter les idées de l'autre, à envisager une attitude différente, à lire, à apprendre, à devenir plus conscientes de leurs motivations.

Si certaines solutions s'appliquent à une circonstance donnée – acheter une voiture ou choisir une destination de vacances –, la plupart de nos négociations constituent un processus continu, qui reflète notre investissement dans la relation. Elles nous rappellent que chaque conflit concernant les tâches domestiques, les enfants, les animaux, l'argent, le temps passé ensemble ou les relations sexuelles est aussi une façon de nous dire l'un à l'autre : « Je te veux auprès de moi, j'ai besoin de te savoir engagé dans cette relation, je désire que nous formions une véritable équipe. »

③ Prévenir le conflit

Il peut sembler paradoxal d'inclure un chapitre sur la prévention du conflit après avoir affirmé qu'il s'agissait d'un phénomène normal, naturel et essentiel au sein d'un couple. Mais, s'il importe de gérer les tensions et les difficultés, nous prenons parfois pour de l'intimité le décorticage perpétuel de pensées et d'émotions. Chaque petite nuance de notre relation devient alors objet d'analyse et de dissection, nous croyons que la parole constitue la clé de la proximité. Pourtant, il s'agit là plus probablement d'une façon d'éviter un contact trop profond avec nous-mêmes. Or nous résolvons les désaccords afin de nous sentir plus clairs et de supprimer les blocages qui nous séparent de l'autre.

L'aplanissement du conflit naît du plaisir, de l'engagement, de la sensibilité, du pardon, de l'appropriation de ses sentiments, de la joie et de l'amour qui s'exprime au quotidien au travers de l'écoute, du toucher et de l'attention portée à l'autre. Si un flot d'amour bienveillant circule entre deux êtres, les remerciements surviennent spontanément, les engagements sont scrupuleusement respectés, et il existe un équilibre entre donner et recevoir. Aucun des deux conjoints ne se demande si l'autre l'aime. Et, naturellement, la capacité à pardonner se renforce.

Si nous nous sentons aimés et appréciés, nous considérons les erreurs et oublis de notre partenaire comme des exceptions, et les prenons rarement pour des affronts personnels. Un exemple : si l'autre néglige de passer à la boulangerie ou se montre grincheux, nous nous contentons de hausser les épaules et pensons qu'il est un peu distrait ou stressé en ce moment.

Ruth, heureusement mariée depuis trente-sept ans, m'expliquait : « Nous ne traversons pas beaucoup de conflits, car nous sommes à l'écoute l'un de l'autre, nous nous excusons de nos erreurs, nous nous aidons mutuellement à prendre du recul et nous adorons être ensemble. Notre relation s'enracine dans notre foi chrétienne, où le pardon est une notion centrale. Et c'est fondamental, car nous arrivons à lâcher prise sur nos colères et nos jugements, pour revenir à notre amour. Nous nous acceptons vraiment l'un l'autre. »

La manière principale de prévenir le conflit consiste tout simplement à s'amuser ensemble et à partager des expériences. Comme une pluie d'été ranime le jardin, la joie, le silence, le jeu à deux nous éveillent l'un à l'autre. Plus nous éprouvons d'amour et de bonheur au sein du couple, moins nos différences ont de l'importance.

Il convient aussi de ne pas négliger ces moments où un commentaire ou une remarque peuvent susciter des tensions. Les sentiments non résolus ou non exprimés génèrent souvent un flou ou une distance stérile, parfois ponctuée de sous-entendus, de phases de repli et d'accès de colère. Si nous avons l'impression d'amorcer cette pente glissante, il faut nous reprendre, dépasser nos craintes et exprimer ces contrariétés mineures.

Ne laissons pas les petits soucis s'accumuler. Imaginons que, le mardi, j'aie eu de la peine de voir mon partenaire un peu trop indifférent devant mon entaille à la main et que je n'en aie pas parlé. Cela me sera présent à l'esprit quand, le samedi, il arrivera en retard. Et le dimanche, s'il ne m'aide pas à débarrasser la table, mon irritation croîtra encore. Je peux très bien me taire, à condition d'être capable de totalement lâcher prise et d'oublier ces désagréments. Mais si des pensées négatives me viennent alors que nous faisons l'amour et si mon corps commence à se crisper, je devrai examiner mes sentiments et les exprimer. En revanche, supposons qu'en sortant de l'hôpital, le mardi, j'aie dit : « Je t'ai senti vraiment distant quand nous étions aux urgences. Que s'est-il passé ? » Nous aurions alors discuté et clarifié les choses. Ainsi, chaque événement insignifiant qui se serait produit ultérieurement aurait gardé une importance plus relative, car son impact n'aurait pas été amplifié par une rancœur préexistante.

Si nous nous sentons mal à l'aise, si nous nous renfermons, si nous nourrissons de la rancœur, il relève de notre responsabilité de revenir au couple et d'ouvrir le dialogue. Dès lors que nous blâmons l'autre ou dissimulons nos sentiments, nous sortons du Nous.

Le plus grave dommage que nous puissions infliger à notre relation est le repli affectif et l'accumulation de blessures et de colères. Retenir ces émotions génère un accroissement des tensions, susceptible d'aboutir à l'explosion. Un jour, nous nous réveillons en disant : « Qu'est-il advenu de notre amour ? Où est passée notre joie d'antan ? Comment notre flamme s'est-elle éteinte ? Je veux sortir de là ! » Notre conjoint nous répond alors, ahuri : « Je ne comprends pas. Je ne m'étais rendu compte de rien. » Voilà pourquoi il est si important d'identifier les moindres discordances et de les prendre au sérieux, dès que l'on sent une baisse de vitalité dans la relation.

En nous dévoilant mutuellement ainsi, nous atténuons l'irritation pour retrouver le terrain de la tendresse et de la compréhension. Si nous regardons tous deux assez profondément en nous, si nous assumons nos responsabilités respectives et clarifions les situations au fur et à mesure, plus rien ne peut entraver le flux d'amour qui circule librement entre nous.

④ Reconnaître les faux conflits

Si l'existence se charge de nous soumettre des problèmes à résoudre, il existe aussi des « faux conflits », n'ayant pas grand-chose à voir avec la réalité. Dans cette danse du couple, il importe de distinguer les réactions fondées sur l'ego et issues de notre enfance, nécessitant notre attention individuelle, des véritables conflits, qui exigent de négocier avec nos différences.

Au sein des couples conflictuels, les partenaires déclenchent souvent des disputes dans le but d'échapper à leurs peurs et à leurs manques. C'est un phénomène très courant dans les cas de dépendances actives. Les querelles tournent alors autour de prétextes fabriqués, ne servant qu'à faire diversion, et les arguments se concentrent sur l'autre. Ainsi, un mari prétendra ne plus être sexuellement attiré par sa femme parce qu'elle a grossi, sans mesurer son propre rôle dans le blocage de ses pulsions.

De même, les personnes ayant adopté l'idée d'un monde foncièrement hostile se trouvent constamment en alerte face à toute éventuelle possibilité de rejet ou d'insensibilité. Elles ne manquent alors aucune occasion de vilipender leur conjoint, l'accusant de cruauté, d'absence d'égards, de méchanceté.

Or nous devons en permanence nous demander : « Qu'est-ce qui a réellement été dit ? Comment ai-je filtré ces paroles à travers mon propre système de croyances ? » Cela implique de reconnaître l'existence de ce système de croyances, qui modifie notre perception des intentions d'autrui.

Les faux conflits découlent de réactions profondément ancrées en nous et associées à des expériences passées. Lorsque nous hurlons sur notre partenaire en raison de son retard, peut-être s'agit-il d'un déplacement affectif lié au manque de fiabilité de notre mère. Si l'on cherche la source de ces irruptions émotionnelles, on la retrouve dans des pertes, traumatismes et négligences remontant à l'enfance, et ayant généré la croyance que l'on est indigne d'amour, invisible, impuissant ou indésirable.

Mary ne supportait pas que son époux se renferme à certains moments. Lors de nos séances, nous sommes remontées à l'époque où, petite fille, elle trouva sa maman effondrée sur le divan, ivre. Elle avait cru sa mère morte. Une fois ce traumatisme clarifié, Mary ne ressentit plus aucune panique quand son conjoint éprouvait le besoin de se retrancher. Elle n'aimait pas particulièrement son attitude, mais elle pouvait exprimer ses émotions de façon adulte : « Je n'apprécie pas quand tu te replies sur toi-même et refuses de me parler. » Ensuite, elle pouvait continuer à vaquer à ses occupations, sans plus en être obsédée.

Les partenaires qui reproduisent tout le temps les mêmes disputes, révélatrices de leur état d'enfant – « Ne me dis pas ce que je dois faire ! » « Ne me quitte pas ! » –, ont souvent besoin de thérapies individuelles. Rumi écrit : « Brise toutes ces petites boîtes. » Voici donc quelques suggestions pour nous permettre de nous libérer de ces « petites boîtes » qui nous figent dans de faux conflits routiniers – en n'oubliant pas cette règle de base : rester concentré sur soi-même et ne pas blâmer l'autre.

1. Identifier les disputes récurrentes et les reconnaître ouvertement ensemble. S'accorder pour essayer de changer les choses et agir différemment.

2. Se demander : « Quel âge ai-je l'impression d'avoir pendant cette dispute ? Suis-je un petit enfant ? Un adolescent ? » En parler à son partenaire.

3. Se demander : « Quel est le sujet réel de notre querelle ? » Examiner cette question ensemble. Souvent, le différend repose sur l'impression de ne pas être aimé, apprécié, vu ou respecté ; il convient de clarifier la situation.

4. Se concentrer sur ses sentiments et voir ce qui se cache sous la surface, jusqu'à atteindre un lieu sonnant juste et vrai. Cela peut requérir de la pratique. Parler de cette expérience intérieure à l'autre. Lorsqu'une personne parvient à dire : « Je me sens seul quand tu passes tant de temps à l'extérieur » plutôt que « Tu es si indifférent à mes besoins », l'aveu de la vulnérabilité génère un échange plus tranquille et plus profond. À partir de ce lieu, les deux conjoints peuvent alors véritablement s'entendre l'un l'autre.

5. Prendre conscience de nos véritables désirs et besoins face à l'autre, et les lui exprimer.

6. Dire ce que l'on est prêt à faire en réponse aux demandes de son partenaire. Évoquer des projets concrets. Ne pas utiliser de formules vagues du genre : « Je t'aiderai à la maison » ou « Je te respecterai davantage. » Exprimer des idées précises : « Je passerai l'aspirateur le lundi soir, quand tu travailles », « Je ferai les courses et la cuisine le samedi », « Je te promets de ne plus te traiter de paresseux ou de maladroit quand je me sens frustrée. »

7. Exprimer ouvertement combien on apprécie l'autre, là encore par des phrases spécifiques et explicites.

Ces suggestions peuvent nous aider à briser notre carapace et à nous montrer plus expansifs dans notre relation. Nous pouvons aussi recourir à d'autres moyens efficaces : parler avec un ami, participer à un groupe de parole, lire des ouvrages sur la spiritualité ou le couple, consulter un spécialiste. Le simple contact avec un large éventail de personnes augmente nos chances d'entendre des choses utiles à propos de notre situation ou d'ouvrir notre esprit à de nouvelles perspectives.

⑤ Reconnaître nos réactions de fuite, de lutte ou de paralysie

Récemment, deux psychothérapeutes déclaraient que la phrase la plus redoutée par les hommes, de la part d'une femme, était : « Chéri, il faut qu'on parle. » Si résoudre les conflits se révèle si essentiel à la vitalité d'un couple, pourquoi nombre d'entre nous s'efforcent-ils de l'éviter ? Sans doute en grande partie parce que nous n'avons jamais appris les bases d'une relation respectueuse.

Mais il existe d'autres raisons. En effet, pour nombre de personnes, la perspective d'un conflit provoque une accélération du pouls, une soudaine montée d'adrénaline, un nœud dans l'estomac. Comment expliquer cela ? En réalité, tous ces symptômes relèvent d'une réaction de survie archaïque et enracinée en elles, probablement depuis leur plus tendre enfance, et qui s'est consolidée au fil des ans. Elles ne réagissent plus avec leur néocortex. Psychologiquement, on parle de « débordement ». Dans le jargon populaire, on dirait qu'elles sont pétrifiées de terreur. Or cela n'a quasiment aucun rapport avec la situation réelle et présente.

Afin de comprendre nos réactions de survie, examinons les fonctions de nos trois cerveaux. Selon le Dr Paul MacLean, chercheur en neurologie, nous sommes essentiellement des animaux dotés d'un néocortex – la partie frontale du cerveau, capable de raisonnement, de réflexion, d'anticipation et d'aspiration humanitaire. Notre cerveau primitif, aussi appelé reptilien, est responsable de la survie : chasser, s'abriter, s'accoupler, établir son territoire, lutter. Le cerveau du milieu, ou système limbique, que nous partageons avec les autres animaux, assure le contrôle des émotions qui conditionnent le comportement. Là se situe la source de nos réactions automatiques, qui semblent jaillir d'elles-mêmes. Comment cela se passe-t-il ?

Enfants, dès que nous ressentions une menace pour notre sécurité, nous nous retrouvions dans un état d'hyperexcitation – pouls rapide, suées, poussée d'adrénaline – et cherchions comment soulager notre peur, notre angoisse, notre anxiété. En état d'intense stimulation, notre cerveau enregistrait en détail les couleurs, sons, odeurs et autres éléments associés au traumatisme du moment, ainsi que notre vécu émotionnel. Tout cela s'est gravé dans notre système nerveux.

Or – et c'est un facteur crucial – le système limbique capable de généralisation ne fait pas la distinction entre le présent et le passé. Dès lors, tout ce qui nous renvoie à cette situation révolue peut générer à nouveau la même réaction intense.

Un exemple : Jim était souvent traité d'imbécile par sa mère, ainsi que par sa première femme. Lorsqu'il épousa sa véritable âme sœur – son ancienne petite amie d'université –, une question innocente telle que : « Sais-tu où se trouvent les clés de la voiture ? » déclenchait, de sa part, une remarque acerbe du genre : « Tu me prends pour un idiot ! » Après s'être entendu critiquer durant des années, il avait généralisé les choses et en était venu à croire que sa moindre incapacité à donner une réponse signifiait qu'il était stupide et fautif. Son fonctionnement était, à l'évidence, dirigé par son système limbique. Nous devons développer notre conscience de ces réactions automatiques si nous voulons établir une relation dans le présent. Sinon, nous restons prisonniers du passé et projetons notre histoire psychologique sur notre conjoint.

Voici quelques signes permettant de reconnaître nos réactions de lutte, de fuite ou de paralysie en cas de conflit…

Réactions de lutte – Accuser, contre-attaquer, se trouver des excuses, analyser, critiquer, se mettre sur la défensive, changer de sujet, dénigrer les propos de l'autre, pleurer, intellectualiser, généraliser, se faire plaindre, culpabiliser, plaisanter, devenir violent.

Réactions de fuite – Sortir de la pièce, s'enfuir, claquer la porte.

Réactions de paralysie – Se retrouver sans voix, incapable de penser, engourdi, dédoublé.

La première étape consiste à nous rendre compte que nous sommes dans un tel état. Si nous ne nous sentons pas trop abattus, nous pouvons dire à l'autre : « J'ai bien peur d'être en proie à une de mes réactions archaïques. J'ai besoin de me calmer avant de pouvoir en parler. » Nous pouvons aussi nous demander : « Qu'est-ce qui a été réellement dit ? Y a-t-il un vrai danger ? » Enfin, nous pouvons nous remémorer la phrase : « C'était avant, c'est maintenant. »

Lorsque nous sommes ainsi submergés, il est inutile de prolonger la discussion. Nous devenons inaptes à fonctionner de manière raisonnable, compte tenu de notre agitation et de notre « retour vers le passé ». La querelle qui s'ensuivrait n'aurait rien à voir avec le moment présent.

Nos réactions peuvent se manifester de manière nuancée ou très intense. Je me souviens d'un jour où je participais à un groupe de supervision : j'ai été saisie par l'angoisse, à tel point que je me suis sentie coupée de mon corps. L'animatrice s'évertuait à vouloir me faire parler. Et j'inventais n'importe quoi pour qu'elle arrête. Tout me paraissait confus, ma vision était troublée et je n'avais qu'une envie : qu'elle me laisse tranquille. Une autre femme du cercle m'a posé une question et l'animatrice a qualifié ma réponse de « minable » ; je n'ai pas compris pourquoi. Je me sentais très mal et incapable de faire ou dire quoi que ce soit. Lorsque la peur nous envahit ainsi, nous passons en mode de survie. Nous sommes déconnectés de notre néocortex, et il nous est impossible de puiser dans nos ressources intérieures.

Cela ne signifie pas qu'il faille nous retirer complètement. Nous pouvons rester avec l'autre et tenter d'éclaircir la situation. Au cours d'une thérapie de couple dans mon cabinet, la femme commençait à lancer des piques à son époux quand elle s'interrompit brusquement, se tourna vers lui et s'exclama : « Mon Dieu, voilà que je recommence ! Arrête-moi ! » Un sourire se dessina sur le visage de son mari, jusque-là très tendu. « Comment puis-je t'arrêter ? » demanda-t-il. « Touche-moi. » Il se pencha alors vers elle et lui caressa le bras. Elle fondit en larmes, visiblement soulagée. Quelques minutes plus tard, elle reprit : « C'est ce dont j'avais besoin. » À l'issue de cet échange, ils convinrent ensemble que, si elle virait à cet état de colère et d'irritation, elle lui dirait : « Arrête-moi », et il lui prendrait la main. Ainsi, ils allièrent leurs efforts pour briser le cercle vicieux et prévisible qui succédait d'ordinaire à ces accès d'agressivité.

Il convient donc, en tant que couple, de trouver un moyen d'intervenir en cas de réaction de survie. Je demande souvent à l'un des conjoints : « Qu'aimeriez-vous que votre partenaire dise ou fasse quand vous basculez dans un tel comportement ? » J'ai obtenu des réponses très diverses : « Qu'il me demande "Tu es stressée ?" », « Qu'elle pose sa main sur mon épaule. » L'essentiel consiste à contenir les débordements du système nerveux, en retournant au Nous, au lieu de se conduire comme un animal terrifié.

Ainsi, l'isolement et la honte font place à une situation que les compagnons gèrent ensemble. Si l'un annonce : « J'ai besoin de dix minutes pour me calmer », l'autre le comprend et le soutient, au lieu de l'accuser : « Tu fuis toujours, tu ne me parles jamais », et autres interprétations erronées. Plus les partenaires se comportent en alliés, plus ils créent un Nous solide et sûr. Cela ouvre la voie à des solutions de plus en plus créatives face aux réactions de lutte, de fuite ou de paralysie.

Pour conclure sur une note plus enjouée, certaines sensations positives sont elles aussi gravées dans notre système nerveux. L'odeur du maquillage de notre mère, une vieille ronde d'école, un poème récité par notre père aux réunions de famille peuvent susciter en nous des vagues d'émotions chaleureuses et agréables. Et nous pouvons nous construire d'autres souvenirs heureux au sein de notre couple, à travers nos moments de plaisir, d'affection et de joie partagés.

⑥ Reconnaître les multiples visages de la colère

> Le même vent qui déracine les arbres
> Fait luire les herbes.
>
> Et le mouvement du corps provient de l'esprit,
> Comme la roue à eau est entraînée par le courant.
>
> L'inspiration-expiration découle de l'esprit,
> Tantôt furieux, tantôt paisible.
>
> Rumi

Il impose de reconnaître les multiples visages de la colère, afin de nous montrer à la fois authentiques et respectueux dans notre couple. Sur un plan spirituel, l'examen attentif de cette émotion constitue un aspect essentiel de la connaissance de soi et une voie d'accès à l'expérience de l'amour.

Nous pouvons envisager la colère sous plusieurs angles :

– réaction naturelle de survie ;

– automatisme ;
– désir ou attachement insatisfait ;
– danger de la colère réprimée ;
– différences avec la rage ;
– et l'utiliser de manière constructive dans le couple : l'expression de nos besoins.

Nous éprouvons tous de la colère. Dans la littérature spirituelle, y compris dans certains écrits bouddhistes, elle est souvent évoquée comme une émotion négative à contrôler, voire à éradiquer. Certains affirment même que nous participons au déclenchement des guerres dès le moment où nous abritons le moindre soupçon de courroux en nous. Je ne suis pas d'accord.

Si tout est constitué d'énergie, alors la colère, la tristesse, le bonheur sont des formes de cette énergie. Pema Chodron nous incite plutôt à faire la paix avec tous les aspects de notre affect et de notre intellect, car ils font partie du Bouddha et il n'existe aucune séparation.

J'admets toutefois que, la plupart du temps, la colère sert à occulter d'autres émotions, et qu'elle est souvent déplacée et stérile. Cependant, au lieu de la renier, nous devons l'apprivoiser et la comprendre, pour la transformer.

La colère a diverses sources et s'exprime de différentes manières. Il peut se révéler aussi néfaste de la refouler et d'en éprouver les effets nocifs sur notre santé que de la laisser exploser régulièrement. Du reste, le fait de la dissimuler, de la réprimer ou de la considérer comme honteuse constitue bien souvent le facteur déclenchant de ces accès de rage si dévastateurs.

La conscience de notre colère et l'exploration de son origine constituent une voie puissante vers l'éveil. Certains des messages culturels les plus forts concernant cette émotion s'enracinent dans notre système de croyances et prennent valeur de réalité. Une femme irascible est souvent considérée comme masculine, excessive, acariâtre ou castratrice.

Les hommes, à qui l'on apprend à renier leur peur, leur tristesse et leur vulnérabilité, canalisent souvent ces aspects refoulés au travers de l'agressivité, qui recouvre alors des sentiments plus authentiques. D'autres répriment aussi leur courroux et se blindent dans un corps rigide. Au sein du couple, il paraît donc sain de prendre un peu de temps pour parler de tous ces messages que l'un et l'autre des partenaires ont reçus concernant la colère. Quel sens revêt-elle dans notre existence ? Comment la gérons-nous ? Comment la transformons-nous ? En ayant peur, en souffrant de migraines, en mangeant, en nous cachant, en feignant un sourire, en recourant au sexe, en nous fustigeant, en explosant ?

L'examen des différents aspects de la colère peut alimenter notre réflexion.

La colère comme réaction naturelle de survie

La colère peut être une manifestation normale et biologique de notre instinct de survie, face à une urgence ou un danger – quand on nous blesse, ou nous envahit, ou nous piétine. Un éclair nous transperce et nous sécrétons de l'adrénaline ; et celle-ci nous donne l'énergie nécessaire pour agir. Menacés, les animaux montrent les dents, grognent, sifflent ou attaquent. En tant qu'adultes, la colère de survie nous permet de nous protéger et de fixer des limites si quelqu'un tente de nous exploiter ou de nous agresser. Nous devons pouvoir réagir avec fermeté par un « Stop », un « Non », « Je ne suis pas d'accord », sans nous juger coupables ou criminels.

Malheureusement, nombre de personnes se sentent menacées, parce que ce mécanisme naturel, avertissant d'un péril – cette sorte de signal d'alarme interne –, a été conditionné pour rester éteint, conformément aux normes rigides imposées par la société ou la famille. Au lieu de s'orienter vers l'action, face au danger elles se figent afin de se préserver. Si nous éprouvons de la tendresse envers une personne qui nous a maltraités, notre colère nous rappelle ses abus et nous incite à prendre soin de nous-mêmes, pour ne pas nous exposer à de nouvelles agressions. N'oublions pas : notre capacité à dire non et à imposer nos limites est une condition indispensable à notre sentiment de sécurité et à notre faculté de prononcer des « oui » francs et massifs.

À un niveau plus profond, prenons conscience que la peur précède souvent la colère (comme le montre le schéma ci-dessous).

Événement ⇒ peur ⇒ incapacité à agir ⇒ besoins insatisfaits ⇒ frustration/colère.

La colère devenue automatisme

À l'opposé de la colère de survie, garante de notre intégrité face à une circonstance immédiate, se trouve la colère devenue un automatisme sans lien direct avec la situation présente. En réponse à un traumatisme de l'enfance, nous développons des défenses, notamment un mécanisme de colère, qui nous donne une impression de contrôle : « Si je ne peux être aimé, du moins je peux garder les autres à distance au moyen de l'intimidation. » Cela continue à l'âge adulte. Nous interprétons, à tort et de façon récurrente, des événements comme dangereux ou menaçants, et finalement basculons dans l'hostilité. Il est très important d'identifier ces réactions-réflexes, car elles nous maintiennent rivés au passé et se révèlent nuisibles à toutes nos relations. De surcroît, elles provoquent la sécrétion chronique d'hormones de stress, générant en nous un état perpétuel d'agitation, susceptible de nous conduire à la dépression.

Le principe si répandu de « vivre et exprimer ses émotions » ne s'applique pas à la colère automatique. En effet, il ne paraît pas juste de décharger ce type d'agressivité sur notre entourage, car notre fureur n'a rien à voir avec la réalité du moment. Dans ce cas, nous devons battre en retraite, respirer et nous rappeler qu'il s'agit d'un conditionnement de notre système nerveux, issu de perceptions anciennes et périmées. Rectifier cette attitude exige des efforts, car elle représente souvent la seule réponse que nous connaissions pour nous sentir en sécurité dans un monde apparemment cruel et hostile. La première étape consiste à remercier notre colère d'avoir tant œuvré pour notre protection. Puis nous pouvons gentiment lui dire : « C'était avant, c'est maintenant », et poursuivre notre chemin.

La colère comme désir ou attachement insatisfait

Voilà l'aspect de la colère le plus fréquent chez la plupart d'entre nous. Généralement, lorsque nous éprouvons de l'exaspération ou du courroux, cela traduit notre souhait que la réalité (la personne ou la circonstance) soit autre. Si nous allons au-delà de notre réaction pour reconnaître ce processus, nous développons grandement notre conscience de nous-mêmes. Par exemple, j'ai identifié en moi la fillette de trois ans désirant désespérément être comprise ; cela déclenche une sensation physique très spécifique au niveau de mon plexus solaire. Dès que je la perçois, je prends une grande inspiration, je l'observe et j'évite d'agir – du moins dans mes bons jours.

Ainsi, en prenant l'habitude de détecter nos attachements – l'envie que les choses soient différentes de ce qu'elles sont –, nous pouvons dépasser notre colère pour reconnaître nos désirs. Dès que nous sentons l'irritation monter en nous, il suffit d'inspirer, de ralentir le rythme et de nous demander : « De quoi ai-je besoin ? Qu'est-ce que je veux ? » Cela permet de modifier radicalement notre expérience interne et de ne pas transmettre à l'extérieur des ondes d'agressivité, éloignant les autres de nous. À partir de là, nous pouvons formuler des requêtes respectueuses. Par exemple, au lieu de nous montrer accusateurs – « Tu ne me prends jamais dans tes bras en rentrant du bureau » –, nous dirons : « Salut, beau blond ! Fais-moi donc un petit câlin ! » Une nuance en apparence si minime nous permet de passer de la position de l'enfant rageur à celle de l'adulte centré et direct dans sa demande. En nous rendant ainsi vulnérables, nous nous relions plus facilement à l'autre et ramenons la conversation vers le Nous.

Pour finir, la notion d'intention se révèle primordiale. Afin de nous faciliter la tâche, nous pouvons nous répéter : « J'ai l'intention d'identifier mes attachements. J'ai l'intention de ne pas réagir aussi vite. J'ai l'intention d'élargir ma conscience. » De telles affirmations envoient un message dans tout notre corps, ouvrant la voie au changement. Dès lors, nous ne nous situons plus dans un esprit d'exigence ou d'obligation – en fait une forme d'attachement –, mais dans une démarche en douceur visant à explorer l'autre côté du miroir.

Le danger de la colère réprimée

Comme je l'ai déjà dit plus haut, l'accumulation de colères rentrées est l'un des plus importants dommages que nous puissions causer, à nous-mêmes et aux autres. Si nous nous empêchons d'éprouver notre colère, elle reste vivace en nous et transmet de puissants signaux à l'extérieur. Nous en arrivons à la nier au point d'en oublier son existence.

Cependant, en nous mettant à l'écoute de nos pensées et de nos sensations physiques, nous pouvons la détecter. Voici quelques moyens de reconnaître une colère enfouie.

1. Se considérer comme une personne tempérée, douce ou amène : énoncer régulièrement des phrases du genre : « Je ne suis pas en colère » ou « Cela ne me contrarie pas. »

2. Parler d'une voix monocorde, peu sonore, parfois teintée d'une nuance de plainte ou d'insistance. S'exprimer au travers de sous-entendus et de commentaires indirects, générant un malaise intérieur et provoquant souvent des tensions dans le couple.

3. Éprouver un soupçon de plaisir ou de jubilation en apprenant que quelqu'un rencontre des difficultés, perd son travail, prend du poids ou divorce.

4. Fréquemment juger les autres et remarquer d'emblée leurs faiblesses. Nouer des amitiés alimentées par les commérages et les critiques. Monter subtilement les uns contre les autres, au moyen d'insinuations ou en dévoilant leurs confidences.

5. Souffrir de symptômes physiques réguliers : migraines, maux de ventre, tensions musculaires, mâchoire serrée, etc.

6. Se sentir souvent anxieux ou déprimé ; rester en permanence affairé ou en activité (dépression agitée) et éprouver une impression de tristesse, de vide ou d'épuisement dès qu'on ralentit la cadence.

7. Reporter au lendemain ce qu'on a promis de faire. Prendre des engagements et ne pas les tenir.

8. Se replier sur soi, se renfrogner, redouter de parler, ou avoir l'esprit paralysé dans les situations conflictuelles.

9. Avoir l'impression d'être coupé des autres, comme s'il existait un voile nous séparant de notre entourage. Retenir ses élans d'affection, de gentillesse, de tendresse et ses pulsions sexuelles.

10. Se plaindre sans demander ce qu'on désire.

11. Perdre son sang-froid et exploser, mais avoir des difficultés à exprimer ses besoins, à fixer ses limites et à défendre son point de vue.

Souvenons-nous : en reconnaissant notre colère, notre objectif consiste à l'apprivoiser. Elle est comme une ennemie intérieure, consumant notre énergie et entretenant nos peurs, et nous devons en faire notre amie. La plupart d'entre nous ont commencé à la réprimer très longtemps auparavant et pour une bonne raison : nous étions peut-être punis, humiliés, ignorés ou menacés d'abandon si nous disions non ou nous rebellions contre nos parents et éducateurs. Cependant, nous ne sommes plus des enfants ; nous pouvons donc oser pousser la porte de ce réduit obscur, pour laisser pénétrer la lumière sur cette partie dissociée et terrifiée de nous-mêmes, qui a besoin de notre compassion et de notre compréhension. Rappelons-nous : tout est énergie de Bouddha et cette partie de nous-mêmes correspond simplement à notre Bouddha apeuré.

La distinction entre colère et rage

Une colère saine est directe, liée à la situation présente et dénuée d'agressivité ou de perte de contrôle. En revanche, la rage résulte de blessures accumulées au fil du temps et s'exprimant soudain dans une explosion d'accusations, de reproches et d'hostilité. Elle sert à dissimuler la honte. Quelqu'un a touché un point chez nous que nous jugeons mauvais ou déficient et, afin d'éviter la douloureuse impression d'indignité, nous nous concentrons sur l'extérieur en incriminant ou en dénigrant les autres.

De même qu'une personne laisse ses frustrations s'accumuler durant la semaine et se saoule le vendredi soir pour décompresser, certains individus recourent à la rage comme à une dépendance. Coupés de leurs émotions, ils dédaignent leurs besoins et s'empêchent d'exprimer leurs envies ou désirs. Au fil du temps, les tensions se potentialisent ; finalement, ils projettent leur fureur sur le premier venu. Cela équivaut à la crise de nerfs chez le petit enfant.

Or, si ce déchaînement soulage temporairement le stress, il s'agit d'un schéma cyclique n'atteignant jamais le cœur du problème. De surcroît, cela génère la peur chez vos proches. En effet, si une personne est régulièrement la cible de ces attaques de fureur ou vit sous cette menace permanente, elle tend à se fabriquer une cuirasse pour protéger son cœur : alors, elle sera sans cesse mal à l'aise ou sur ses gardes.

Si nous sommes en proie à la rage, une des clés consiste à reconnaître notre sentiment de honte. Nous pouvons commencer par nous demander quels besoins, chagrins, frustrations et pertes nous avons reniés, rejetés ou refoulés en nous. Regardons ce qui nous manque dans notre situation présente. De quoi devons-nous discuter avec notre partenaire ? Sommes-nous très malheureux à propos d'une chose précise ? Nous devons nous engager à aborder nos émotions de manière plus ouverte et avisée. Concentrons-nous sur elles, vivons-les, entendons ce qu'elles ont à nous dire. Qu'est-ce qui a si peur en nous, tellement besoin de se défendre ? Nous pouvons interroger aussi notre conjoint et nos enfants, pour savoir quelles répercussions nos accès de rage produisent sur eux – et écouter vraiment leur réponse.

L'utilisation constructive de la colère dans le couple

> *Il n'est point de répit pour le messager tant qu'il n'a pas délivré son message.*
>
> Joseph Conrad, *La Rescousse*

Si la rage est toxique dans nos relations, il convient à certains moments de verbaliser notre colère, afin qu'elle ne se transforme pas en un poison intérieur, ne s'exprime pas au travers de messages codés et ne nous rende pas nerveux, tendus ou malades. Nombre de couples fonctionnent sur l'accord tacite suivant : « Je ne me mettrai pas en colère contre toi si tu ne te mets pas en colère contre moi. Nous serons gentils l'un envers l'autre. » Cela revient à s'identifier à l'image que nous voudrions donner, et non à se montrer vrai et authentique. Une telle attitude laisse la peur s'infiltrer au sein du couple, car cette retenue chronique renforce la croyance que la colère est dangereuse.

Or l'engagement qui entretient la vitalité du couple est le suivant : « Je te dirai ce qui me dérange et j'écouterai ce qui te dérange. » Cela ne signifie pas pleurer ou hurler, mais formuler avec respect ce qui nous contrarie. Une femme expliquait : « Nous sommes convenus de rester clairs l'un avec l'autre. Au moindre bouillonnement intérieur, nous le signalons à l'autre, par des phrases comme "Je trouve cela blessant. Je n'aime pas quand tu emploies ce ton." Nous ne le disons pas toujours immédiatement. Parfois, mieux vaut attendre que la pression tombe ou trouver un moment où nous sommes tous deux suffisamment disponibles et réceptifs. Et plus nous nous plions à cette discipline, plus cela nous semble facile. Notre relation a beaucoup évolué grâce à cette démarche : c'est tellement important de gérer l'irritation et la colère, ou tout ce qui peut nous séparer. »

Une méthode consiste à recourir à l'affirmation de base : « Je me suis senti en colère quand tu as dit/fait… » Cela aide l'autre à mesurer l'impact de son comportement. Si le couple entretient un lien de confiance, les deux conjoints voudront savoir quand l'autre est contrarié, car ils veulent connaître la vérité. Et ils seront prêts à agir en conséquence. La colère ou la douleur ne seront pas prises à la légère ni ignorées, car les deux individus se sont engagés à s'aimer de manière bienveillante. Cette attention délibérée aux émotions et aux besoins de l'autre évite que les échanges se résument à de constantes lamentations, doléances ou frustrations.

N'oublions jamais que la colère cache toujours une requête. Malheureusement, nombre de personnes trouvent plus facile de geindre et de se plaindre, plutôt que d'exprimer ouvertement leurs sentiments et leurs désirs sous-jacents.

Formuler nos besoins ouvre la possibilité d'une relation plus riche et plus épanouissante, mais génère aussi le risque de découvrir que notre demande ne peut être satisfaite. Sur le plan spirituel, cela correspond seulement à la réalité du moment : l'autre dit oui, il dit non, et c'est à nous de l'accepter. Mais c'est terrifiant pour l'ego, qui assimile un refus à un manque d'amour. Or, très souvent, en cas de réponse négative, nous pouvons trouver d'autres manières d'assouvir nos désirs et nos besoins. Dans ce cadre, notre meilleur atout consiste à toujours rechercher la vérité et, si nous adhérons à cette philosophie, notre principale aspiration sera de nous montrer honnêtes.

Certains affirment ne pas se mettre en colère, alors que leur attitude prouve le contraire. Là s'illustre la différence entre une demande et une exigence. Imaginons que nous émettions un souhait et que notre partenaire n'y accède pas. Si nous nous renfrognons, nourrissons de la rancœur ou tentons de le faire changer d'avis, cela signifie que ce n'était pas une simple demande, mais une exigence. Il nous faut identifier la colère dans notre réaction et observer la façon dont nous générons notre propre souffrance au travers de nos attachements.

Nous faisons un avec nous-mêmes quand nous nous sentons à l'aise avec chaque aspect de notre personnalité, avec cet entrelacs complexe de peurs, de colères et de besoins qui nous habite. Dès lors que nous décidons de nous regarder avec lucidité, de nous ouvrir et de nous exprimer de manière claire et directe, nous constaterons un profond changement dans notre relation. Le flux spirituel circule alors plus librement dans le couple, nous reliant l'un à l'autre et nous unissant à l'amour universel qui vibre au cœur de notre être.

Découvrir notre manière de gérer le conflit

Selon John Gottman, qui étudie les relations de couple depuis vingt ans, les manières d'aborder les conflits varient selon les individus, mais peuvent se répartir en trois principales catégories : évitement, validation et volatilité.

Chacune de ces approches possède ses inconvénients. Par exemple, les couples volatils, peut-être les plus passionnés et les plus proches, courent parfois le risque de dépasser les limites et de tomber dans le sarcasme et les remarques blessantes. La démarche de l'évitement implique une attitude plus calme et polie, mais recèle aussi le danger de la monotonie, car les deux conjoints manifestent moins leur spontanéité et accumulent parfois les non-dits. Quant à la validation, elle implique une écoute attentive et un art de la négociation, du compromis et de la tolérance ; toutefois, elle s'accompagne du sacrifice de la passion, et parfois du développement personnel de chacun. Cependant, quel que soit leur fonctionnement, les couples harmonieux affirment pouvoir parler de tout et résoudre les problèmes par le dialogue.

En tant que conjoints, l'approche que nous adoptons reflétera nos tempéraments et nos personnalités. Si deux partenaires ont une attitude différente face au conflit, il se révèle utile de verbaliser ces divergences : « Je m'emporte momentanément, puis je me calme », « Je prends le temps d'écouter. Les cris m'effraient », « J'ai besoin de réfléchir avant de répondre. » Il peut s'agir d'un échange continu, incluant notamment les rectifications que l'un ou l'autre souhaiterait apporter au sein de la relation. Par exemple, une épouse me confiait : « Notre style relève plutôt de l'évitement, mais j'aimerais faire un peu moins attention et m'exprimer plus librement. » Une autre m'avouait : « Je me sens prête à me poser davantage. Je crois que nous sommes trop volatils, et parfois j'aspire à plus de tranquillité. »

Gottman identifie quatre facteurs principaux qui entravent la résolution du conflit et causent un grand tort à une relation. Ces « quatre cavaliers de l'Apocalypse » sont la critique, la défensive, le mépris et le repli. Si nous apprenons à reconnaître ces réactions automatiques, nous franchissons une grande étape vers un rapport plus serein et agréable. Cela demande force et courage d'explorer ses facettes obscures. Afin de nous faciliter la tâche, nous pouvons nous remémorer tout ce que nous avons à gagner en renonçant à des comportement basés sur l'ego. Ces vieilles habitudes, nées de la peur, nous ont certes servi autrefois, mais à présent nous cherchons le langage de l'amour. Nous devons donc cesser de confondre notre partenaire avec ces fantômes du passé, le voir comme l'être de chair et de sang que nous chérissons et que nous avons choisi pour nous accompagner dans l'existence.

❼ Réagir face à une impasse

Parfois, les conjoints se heurtent à une impasse. Cela peut concerner l'argent, le système de valeurs, l'emploi du temps ou les centres d'intérêt. Or la différence entre les couples heureux et malheureux réside dans la façon dont les individus réagissent et interprètent la situation.

Ainsi, Charles et Elizabeth entretiennent une relation riche et durable. Cependant, Charles se passionne pour le dressage des chiens de chasse, alors qu'Elizabeth déteste cette activité, préférant consacrer son temps à des œuvres de charité. Or le conflit est survenu lorsqu'il a fallu choisir entre un don à un refuge pour sans-abris ou l'achat d'un superbe animal de race.

« Je dois me montrer patient et comprendre que, pour elle, aider autrui compte énormément, me confia Charles. Mais cela me demande beaucoup de tolérance, car elle est souvent absente de la maison et j'aimerais la voir davantage. »

Je lui parlai alors des chiens de chasse.« En fait, je vais en acheter un nouveau », me dit-il. « Et comment prenez-vous cela en tant que couple ? » « Je vais prévenir mon épouse de mon intention, en lui expliquant que c'est important pour moi et en espérant qu'elle comprendra. » Il s'interrompit un instant, puis poursuivit : « Elle accepte cela, mais je ne peux pas dire que je l'aie vraiment ralliée à ma cause. Cela génère certaines tensions, et nous évitons de trop soulever la question. Mais nous savons tous deux que c'est comme ça et que nous ne changerons pas l'autre. »

« Cela signifie-t-il que vous avez conclu une trêve à ce sujet ? » demandai-je. « Oui, en quelque sorte. » Puis il ajouta, sur un ton plus enjoué : « Mais cela ne représente qu'une infime partie de notre relation. Nous partageons tant. Nous sommes mariés depuis quarante-six ans et nous ne laisserons pas des détails nous séparer. Nous menons des vies assez différentes, mais cela fonctionne bien. Si nous avions exactement les mêmes intérêts et les mêmes activités, cela deviendrait ennuyeux. »

Elizabeth, de son côté, s'étonna que Charles insiste sur ses absences. « Je pourrais en dire autant de lui, quand il part chasser. C'est plutôt drôle de nous voir décrire les circonstances chacun de son point de vue. » Elle se remémora aussi un incident survenu des années auparavant. « Il est sorti acheter ce chien hors de prix, et je me suis mise très en colère. Je me disais : "Comment peut-on dépenser une somme aussi faramineuse pour un animal, alors que tant de gens meurent de faim ? C'en est trop pour moi." J'ai envisagé de le quitter, et pleuré des heures avant de m'endormir. Mais cette nuit-là, j'ai pensé aux fêtes de fin d'année et à combien il me manquerait. Je me suis alors rendu compte qu'il ne s'agissait pas d'une raison suffisante pour divorcer. Avec le recul, je trouve cette anecdote plutôt comique. »

Enfin, elle confirma les propos de son époux : « Nous avons des différences, mais nous ne nous y attardons pas. Une fois une décision prise, nous passons à autre chose. Nous ne revenons pas dessus. »

L'attitude de ces deux conjoints montre tous les éléments nécessaires à une bonne gestion des divergences. Voici ce qui rend leur approche du conflit si efficace :

– ils reconnaissent tous deux leurs différences et expriment ouvertement leurs désirs et leurs émotions. Elizabeth parle de sa colère et de ses larmes à propos de l'achat du chien de chasse ;

– ils acceptent tous deux leurs passions respectives, même s'ils ne les partagent pas. Cela correspond à l'affirmation à la fois du Nous et du droit des individus ;

– ils maintiennent leurs identités séparées. Aucun d'eux ne sacrifie une de ses valeurs profondes pour amadouer l'autre. Charles achète son chien et Elizabeth fait des dons aussi généreux que possible à des associations ;

– aucun d'eux ne modifie son comportement pour faire plaisir à l'autre. Elizabeth ne va pas à la chasse pour se conduire comme une « bonne épouse ». Charles ne passe pas davantage de temps à se battre pour la paix et pour la justice, quoiqu'il ne rechigne pas à faire des dons ;

– ils n'interprètent pas les comportements de l'autre et s'abstiennent de commentaires tels que : « Tu ne me respectes pas en faisant cela » ou « Si tu m'aimais, tu… » Ils se contentent de constater leurs différences ;

– une fois leur décision arrêtée, ils lâchent prise et ne reviennent pas dessus ;

– ils dévient la conversation de son objet, pour dire combien ils s'apprécient mutuellement.

Dès le début d'une relation, les conjoints doivent affronter le processus consistant à accepter leurs différences. Ainsi, Jessie souhaitait que son nouveau mari, David, assiste avec elle aux offices religieux à la synagogue ; lui s'y refusait catégoriquement.

« J'insistais et j'essayais de le convaincre que c'était bon pour notre famille et pour tout le monde, me raconta Jessie. J'en arrivais même à sous-entendre qu'il ne se souciait ni de moi ni de nos enfants. Un jour, j'ai discuté avec une amie, venue seule pour une fête communautaire. Et quand je lui ai demandé pourquoi son époux était absent, elle m'a répondu : "Oh, ce n'est pas son truc !" Elle avait prononcé cette phrase si naturellement que j'ai eu un éclair de compréhension : David n'a simplement pas envie de venir. Tout comme moi, je n'ai pas envie d'aller pêcher. Cela ne signifie rien d'autre. Alors, j'ai cessé de faire pression sur lui ; et si, pendant un temps, j'en ai conçu une certaine tristesse, notre relation s'est tout de même bien apaisée. Quand j'ai cessé de me concentrer sur cette seule divergence, j'ai vu plus clairement les aspects positifs de notre couple et toutes les façons dont David me témoigne son amour. »

Les différences existent au sein d'un couple et se révèlent parfois aussi solides qu'une pierre. L'idée consiste alors à poser cette pierre sur une étagère et à la contempler, plutôt que de la lancer au visage de l'autre. Point n'est besoin de l'apprécier ni de s'en débarrasser, il suffit de respecter son existence. L'important reste d'œuvrer pour que l'amour soit toujours plus grand et plus fort que ces « pierres », afin de vivre toutes les joies inhérentes à l'union.

⑧ Apprendre les règles d'une dispute fair-play

Une nuit remplie de paroles qui blessent,
Mes pires secrets enfouis.
Tout est affaire d'aimer et ne pas aimer.
Cette nuit passera…

Rumi

Pour se disputer avec fair-play, il convient de s'accorder sur certains principes de base et sur un format clair d'approche du conflit. Cela contribue à créer un cadre sécurisant et sert de substitut à un médiateur externe. Si les deux partenaires disposent d'une copie de ces règles, ils peuvent gentiment se rappeler à l'ordre dès que l'un d'eux s'en éloigne. Dans mes ateliers, les couples participants se supervisaient réciproquement lors des exercices. Et si nous connaissons des conjoints eux aussi intéressés par la gestion des conflits, nous pouvons pratiquer ces techniques ensemble. Cela nous permet d'apprendre beaucoup de choses, de nous rendre compte de notre « normalité » et de partager quelques crises de fou rire. Voici quelques règles fondamentales de la dispute fair-play.

1. Se concentrer sur un seul sujet. Il n'est pas juste de ressortir d'autres problèmes ou de se référer à des différends ou incidents passés.

2. Parler à la première personne du singulier : « Je trouve cela difficile que tu… », « Je me sens frustré lorsque… », « J'aimerais que… » Ne pas employer de formules comme : « Il vaudrait mieux que nous… » Il est essentiel que chacun parle en son nom propre.

3. Éviter les affirmations du genre : « Tu fais toujours… », « Tu ne fais jamais… », « Toi aussi, tu as… »

4. Aller au-delà de la colère, de la frustration ou de la peur, pour exprimer ses besoins, émotions et désirs. Détailler le fil de sa pensée, de sorte que l'autre comprenne comment on en est arrivé à une conclusion donnée.

5. S'exprimer simplement, deux ou trois phrases à la fois. Ne pas se justifier ni se défendre.

6. En cas de frustration, respirer profondément et demander un moment de silence. Si l'on se sent devenir hystérique, irascible, critique ou offensif, réclamer un « temps mort ». Rester assis ensemble en silence et se calmer avant de poursuivre le dialogue.

7. Quand la dispute aboutit à une impasse, s'accorder une pause plus longue, pour que chacun des deux conjoints puisse dresser la liste de tous les attachements ou exigences entrant en jeu dans ce contexte. Lire les deux listes à haute voix : « Je me sens contrarié, car je suis attaché à ce que tu sois d'accord avec moi. » « J'élève la voix et je me répète, car je veux absolument que tu ne m'interrompes pas. »

8. Présenter ses excuses si l'on franchit les limites du respect et que l'on agresse l'autre.

9. Se souvenir que le but du conflit ne consiste pas à avoir raison ni à discréditer le partenaire, mais à abattre les murailles, afin de retrouver le plaisir d'être ensemble.

10. Maintenir le conflit dans l'espace du Nous. Il doit rester concentré sur le fait de trouver une solution bonne pour tout le monde et qui convienne aux deux parties.

11. S'efforcer autant que possible de garder l'esprit ouvert à de nouvelles façons de penser et d'aborder la situation. Notre ego nous empêche d'essayer des méthodes inédites, qui nous permettraient de dépasser les anciennes croyances enracinées dans notre esprit.

Enfin, souvenons-nous que la résolution d'un conflit constitue une forme d'intimité, si nous écoutons, réagissons et permettons à notre créativité de s'exprimer. D'ordinaire, les conjoints se sentent très proches après avoir clarifié les choses entre eux ou réglé un problème.

9   Apprendre à s'apaiser

Dès notre plus jeune âge, nous sommes marqués par notre environnement. Dans une famille aimante, nos parents prennent plaisir à s'occuper de nous. Lorsque nous tendons les bras, ils nous étreignent. Ils nous câlinent, nous sourient, nous regardent avec tendresse. Ils nous donnent à manger, nous bercent, nous offrent des jouets ou des doudous. Nous apprenons alors à nous calmer par nous-mêmes. Nous collons notre visage contre une peluche, nous suçons notre pouce, nous nous caressons la joue avec notre couverture préférée.

Malheureusement, si nos premiers mois ont été plus traumatisants, si nous n'avons pas reçu assez d'amour et de réconfort, nous nous sommes rabattus sur la nourriture, les fantasmes, la possession et, un peu plus tard dans notre évolution, sur des substances actives. Il s'agit là de formes factices de soulagement, qui nous stimulent plutôt qu'elles ne nous apaisent.

Un apaisement sain détend le système nerveux, repose notre esprit et nous permet d'adopter une perspective plus large. Cela constitue un atout d'importance au sein d'un couple, car nous sommes alors aptes à faire taire notre mental, s'il se retrouve en proie à la colère et à la frénésie. Ainsi, nous évitons de déclencher des querelles permanentes et d'agresser notre partenaire. Au beau milieu du tumulte, nous pouvons nous arrêter pour nous recentrer, au lieu de lancer des propos irréfléchis, que nous regretterons, de nous jeter sur une tablette de chocolat ou sur un verre d'alcool.

Quand je demande aux gens les moyens qu'ils emploient pour s'apaiser, ils mentionnent des solutions concrètes : faire de l'exercice, regarder la télévision, prendre un bain, parler avec un ami. Ces recettes conviennent bien au quotidien et favorisent la paix d'esprit en général. Cependant, il nous faut aller plus loin, car on ne peut pas se plonger dans sa baignoire au beau milieu d'une dispute.

À son degré le plus élevé, la faculté de s'apaiser signifie garder sa stabilité dans les moments de stress. Elle implique de disposer d'une réserve d'amour bienveillant, qui nous permette de ne pas nous braquer et de ne pas vouloir gagner à tout prix. Elle assure une vision plus large et nous rappelle que nous nous heurtons à une situation passagère et non à une question de vie ou de mort.

Ci-après figure une liste de techniques pour nous aider à nous rasséréner et à enrayer une escalade d'agressivité stérile. Certaines d'entre elles s'appliquent aux moments de tension, d'autres, à tous les jours. Plus nous les pratiquons hors stress, plus nous devenons capables d'y recourir en plein conflit ou en état de frustration.

Que faire durant un conflit ?

1. Respirer profondément et relâcher le ventre. Se concentrer sur le souffle, à mesure que l'air monte et descend. Détendre les épaules. Dénouer toutes les crispations internes. Réitérer ce processus si nécessaire.

2. Se répéter intérieurement : « Cela compte, mais ce n'est pas grave. » Vivre les sentiments de contrariété du moment, puis prendre du recul par rapport à la situation pour se souvenir qu'elle ne comporte rien de réellement tragique : le journal n'a pas été livré, notre conjoint nous rabroue, la voiture ne démarre pas, nous avons manqué notre changement de métro, il ne reste plus assez d'œufs pour préparer une omelette… « Cela compte, mais ce n'est pas grave. » C'est juste un mauvais moment à passer, et non une question de vie ou de mort. Les choses sont comme elles sont, rien de plus.

3. Demander à l'autre s'il a une requête. Au milieu d'une dispute, inspirer profondément, puis poser la question : « As-tu quelque chose à me demander ? », ou « Qu'aurais-tu voulu que je fasse ou dise ? » Cela apaise souvent le dialogue, car l'échange se recentre sur le vécu intérieur. En outre, cela témoigne de notre souci de l'autre.

4. Se remémorer une phrase, un poème, une chanson ou un dicton apaisant et se le répéter mentalement ; ainsi, cela devient une affirmation hypnotique. Parmi les exemples recueillis autour de moi, figurent la chanson de Louis Armstrong *What a Wonderful World*, ou des phrases telles que « Tout est amour », « Ça va passer », « J'ai le droit à l'erreur. » L'essentiel est de trouver la formule qui nous convienne et de la pratiquer durant la semaine. Prendre un instant pour respirer profondément et se dire intérieurement ces mots

jusqu'à sentir son corps se détendre, puis imaginer une petite frustration et repenser à la phrase. Au fil du temps, elle deviendra une « potion magique », générant une relaxation instantanée.

5. Se visualiser, soi et son conjoint, dans le lieu du Nous – une technique inspirée de Ken Keyes. Si nous sommes en colère et que nous incriminons l'autre, employer l'expression « l'un de nous ». L'un de nous se montre agressif, l'un de nous a peur, l'un de nous ne comprend pas, l'un de nous est contrarié… Appliquer cela à soi et à l'autre. Imaginer un cercle qui nous entoure tous deux et rester mentalement dans cet espace du Nous. Cela n'implique pas de nier nos sentiments, ni les désagréments que nous cause l'autre – nous lui en causons peut-être aussi nous-mêmes ; il s'agit seulement de rester dans le Nous pour ne pas ériger de mur de séparation.

6. Visualiser un cercle de lumière entourant toutes les personnes impliquées dans le conflit ou la douleur vécue – la lumière d'un Nous, ensemble sur le même bateau.

7. Examiner ses propres interprétations. Se demander : « Qu'est-ce que l'autre a dit exactement, mot pour mot ? », ou « Quel sens est-ce que je donne à ses paroles ? »

8. Se poser la question : « J'agis comme un enfant de quel âge ? », puis sourire à cette petite part de nous-mêmes, en lui disant : « Je comprends. Ta réaction se tient, si l'on considère le passé. Mais c'était avant, et c'est maintenant. » Se remettre dans la position de l'adulte en pensant : « Tout va bien. J'ai quarante-sept ans, je peux gérer cela. »

9. Penser : « Je commets inévitablement des erreurs. » Si l'on commence à éprouver de la honte ou de la peur, se dire : « Je peux me tromper. Cela arrive à tout le monde. Je ne suis pas mauvais. »

10. Pénétrer dans le « Grand Esprit » ; voilà un enseignement issu du bouddhisme. Au lieu de me concentrer sur ma douleur, mon agacement, ma peur, notre relation houleuse, je dois penser : « J'éprouve la douleur, la peur, la confusion, communes à la plupart des relations. » Il s'agit d'émotions humaines naturelles, partagées par quantité de nos semblables exactement au même instant. Nous ne sommes pas seuls, et nous vivons une expérience que beaucoup d'autres ont connue avant nous, comme nous.

Que faire durant une pause ?

12. Regarder la dispute comme si elle se déroulait sur un écran de cinéma. La suivre avec fascination et intérêt. Observer comment nous et notre partenaire jouons simplement un rôle. La discussion est-elle prévisible, voire comique ? Pourrions-nous intervertir nos places ? Comment voudrions-nous récrire le scénario ? Imaginer à présent que nous visionnons ce même épisode, mais cinq ans plus tard., dix ans plus tard. Quel caractère de gravité revêt-il alors ? Enfin, nous repasser mentalement la scène, en modifiant notre façon de la jouer.

13. Se distraire. Si nos émotions sont trop intenses et que le même film passe sans arrêt dans notre tête, changer radicalement de ligne de mire. Arracher les mauvaises herbes dans le jardin, ranger la vaisselle, balayer le plancher, regarder la télévision, jouer du piano, prendre une douche, chanter, dormir, louer une vidéo, sortir se promener, faire du shopping.

14. Appeler un ami de confiance, doué du sens de l'humour et capable de nous aider à prendre du recul sur le problème et à mieux définir notre responsabilité dans la situation. Ne pas choisir une personne qui nous plaindra et nous confortera dans notre rancœur.

15. Prendre de la hauteur pour adopter une perspective plus large. En cas de découragement concernant le couple, imaginer un instant que l'on survole un périmètre de cent kilomètres et visualiser toutes les personnes à l'intérieur de ce cercle. Combien d'entre elles vivent une querelle similaire à la nôtre à la même heure, le même jour ou la même semaine ? Des centaines ? Des milliers ? Des millions ? Se remémorer une fois encore que nous ne sommes pas seuls à connaître cette expérience.

16. Tenir un journal. S'asseoir et noter les émotions, pensées et idées comme elles nous viennent à l'esprit. Ne pas se censurer, s'autoriser à écrire tout ce qui passe par la tête. Souvent, cela nous rend plus légers et nous permet de changer de point de vue.

17. Pratiquer la méditation de Tonglen (donner-recevoir), une technique très puissante qui permet de gérer immédiatement une situation difficile et qui, d'après les échos que j'ai reçus de mes lecteurs, se révèle très utile. Elle s'opère sur trois plans successifs, qui suivent tous le même principe de base : inspirer l'émotion négative, puis expirer des vœux positifs et de l'énergie lumineuse.

Au premier stade, on se concentre sur son propre ressenti : on inspire l'émotion de douleur, de peur, de panique, et on expire une bénédiction et une onde de lumière. Le deuxième degré consiste à imaginer le vécu intérieur de l'autre : on inspire son émotion, et on expire de la bienveillance et de la lumière en direction du conjoint ou de la relation. Enfin, le troisième niveau implique de penser à tous les gens qui subissent la même souffrance et le même conflit que nous. À nouveau, on inspire les émotions et on expire de l'amour bienveillant et un rayon de lumière à l'intention de toutes ces personnes.

Le principe de cette technique est le suivant : lorsque nous sommes en communion et en unité avec les autres, le sentiment de séparation s'évapore, de même que nos colères et nos douleurs. Ainsi, nous effectuons une démarche active vers la connexion et transcendons les blessures, rancœurs et convictions liées à l'ego. Les deux partenaires peuvent pratiquer cet exercice en commun. Si nous sommes empêtrés dans une querelle, nous nous asseyons ensemble, inspirons la frustration de chacun, et expirons une bénédiction et des vœux positifs pour notre relation.

18. Consulter un professionnel. Si nous ne parvenons pas à nous apaiser, après avoir fourni de réels efforts dans ce sens, il peut se révéler souhaitable de solliciter l'aide d'un spécialiste.

Nous pouvons tester n'importe quelle approche mentionnée ci-dessus. Certaines fonctionneront, d'autres non. Il convient d'en choisir une ou deux et de les employer régulièrement, ou d'en explorer de nouvelles. J'ai connu un homme pour qui la question « J'ai quel âge ? » agissait comme un déclic instantané, modifiant sa conscience de la situation et le calmant en une seconde. Au fil du temps, à mesure que nous développons notre capacité à nous apaiser, nous constatons notre faculté croissante à prendre du recul, à nous montrer moins réactifs et à relativiser la gravité des événements.

❦❧. Enrichir une relation déjà harmonieuse : plus de clarté, plus d'amour

Jessie et Dan considéraient leur mariage comme solide et heureux. Exerçant tous deux des professions libérales, ils avaient réussi leur carrière, assuré l'éducation de leurs deux enfants et atteint un bon équilibre entre les intérêts communs et les activités séparées. Ils s'investissaient activement dans leur communauté de Quakers et prenaient plaisir à être ensemble. Dan fut donc très surpris lorsque son épouse lui exprima son désir de participer à un week-end de retraite pour couples dans une ville voisine. Il accepta mais, pendant le trajet, ne put s'empêcher de lancer : « Ce sera du gâteau ! »

Quand il me raconta son expérience, c'est avec un rire d'autodérision qu'il me confia : « Le premier exercice avait commencé depuis à peine cinq minutes que je sanglotais déjà sur mon père. Je ne soupçonnais pas la douleur que j'avais gardée en moi à son sujet. Je croyais avoir tout résolu. »

L'impact de cet atelier sur Jessie et Dan fut si puissant qu'ils décidèrent de suivre une formation pour devenir à leur tour animateurs.

« Je pensais que notre relation allait bien. Mais depuis que nous avons appris à gérer les conflits de manière plus profonde, elle s'est encore améliorée, m'expliqua Jessie. Il me semble que la plupart des personnes laissent des problèmes en suspens sans même en avoir conscience. Elles ignorent la qualité de rapport à laquelle peut accéder un couple. Alors des couches et des couches de problèmes restent irrésolues. Du coup, les conjoints deviennent plus isolés et plus distants, sans s'en apercevoir. Nous ne nous en rendions pas compte nous-mêmes. Nous espérions presque les conflits, car leur résolution constituait un processus très intime et qui nous rapprochait beaucoup. »

Je lui demandai s'ils avaient souvent des points de discorde à régler entre eux. « Cela m'étonne toujours, mais nous ne sommes jamais à court d'idées sur ce plan. Mais elles évoluent avec notre vie. Par exemple, notre fille est partie pour l'université et j'avais envie que Dan rentre plus souvent dîner à la maison, parce que sans lui je me sentais seule. »

Dan intervint : « La conversation peut démarrer ainsi : j'explique que je n'envisage pas vraiment le dîner avec plaisir ni impatience, parce qu'il s'agissait d'un moment très tendu dans mon enfance. Puis j'écoute Jessie et je comprends combien cela compte pour elle. Alors, je me dis que je ne dois pas rester figé dans le passé. Et nous poursuivons de cette façon, en nous écoutant mutuellement. »

« Et comment avez-vous résolu ce différend ? » leur demandai-je. « Je m'arrange pour sortir assez tôt du bureau plus fréquemment », répondit Dan. « Tu l'as remarqué ? » ajouta-t-il à l'intention de sa femme.

« Oui. Mais surtout, comme nous avons abordé ouvertement ce sujet, avec sincérité et compréhension, cela ne me paraît plus un problème si important. Souvent, nous constatons que ce type de situation s'éclaircit d'elle-même. Chacun de nous s'investit, donne, et nous nous acceptons l'un l'autre. »

Notre entretien dévia sur leur relation sexuelle. Ils sourirent, avec cette connivence si caractéristique des couples unis. « Après avoir clarifié nos divergences, nous nous sentons si proches que nous faisons parfois l'amour pendant des heures. Cela ne nous était jamais arrivé auparavant, en vingt ans de mariage. »

Si ce week-end de retraite incluait toutes sortes de techniques, le cœur du processus impliquait un simple exercice d'écoute, très semblable à celui cité dans le chapitre précédent. Les deux partenaires s'assoient face à face, puis l'un d'eux prend un bâton de parole ou un coussin. C'est son tour de s'exprimer. Il évoque un point à éclaircir et décrit à la fois la situation et ses sentiments, en formulant une ou deux phrases d'affilée, renvoyées ensuite par l'autre. S'il se sent mal compris, il réitère ses propos. Si le conjoint a oublié ce qui a été dit, il peut demander de répéter.

Ce qui semble extraordinaire dans cette démarche : simplement en écoutant attentivement, avec la réelle intention de comprendre, on peut transformer une relation. Selon les témoignages de nombreux couples, cet exercice a représenté la première fois où ils ont pu se parler de façon détendue, car ils savaient qu'ils ne seraient ni interrompus ni contrés. Si on se sent profondément entendu et compris, les solutions émergent plus aisément.

Quand nous nous efforçons ensemble de dépasser les conflits grâce au dialogue, nous instillons à notre relation une dimension d'ouverture, de bienveillance et de dévouement. Dès lors, les peurs se dissolvent, parce que nous n'avons plus rien à cacher : ni secrets ni hontes. Notre lien devient à la fois plus souple et plus solide, et nous pouvons aller au-delà des idées et des pensées, pour nous rejoindre au cœur de notre amour.

8

Faire l'amour à l'être aimé

❶ Faire l'amour : l'union du corps et de l'esprit

Ceux qui ne sentent pas cet amour
Les entraîner tel un fleuve,
Ceux qui ne boivent pas l'aurore
Comme une coupe d'eau de source
Ou ne goûtent pas au crépuscule
Comme à un bon souper,
Ceux qui ne désirent pas changer,
Que ceux-là continuent de dormir.

Rumi

Après avoir passé plusieurs années dans l'ascèse, Bouddha conclut que les deux extrêmes – la totale négation de soi et la débauche sensuelle – constituaient des directions erronées. Il décida de choisir la voie du milieu : un chemin d'équilibre, de responsabilité et de clarté. Et même s'il vivait dans le célibat et l'abstinence, comme la plupart de ses premiers disciples, nous pouvons puiser, dans ses enseignements sur l'amour bienveillant, la non-violence, la clairvoyance, la vigilance et la bonne intention, pour établir les fondations d'une union sexuelle durable.

La sexualité, dans le cœur de l'être aimé, implique de briser ses armures et de se vivre au-delà des mots. C'est un entrelacs complexe d'esprit et de corps, combinant nos deux existences pour former un tout : une union d'engagement, de passion, de joie, d'humour, de prévenance, de connaissance et d'honnêteté. Le lien charnel devient alors une expression de tout ce que nous sommes – de l'amour physique au sein de notre couple, de l'importance et de la signification que nous revêtons l'un pour l'autre.

Cependant, la réalité ne correspond pas toujours à cette noble vision. Pour certains conjoints, le rapport sexuel se résume à un acte mécanique, dénué de tendresse, de plaisir et de connexion humaine. La femme s'y résigne, par obligation, pour contenter son mari. Les concepts de volupté, de lien, de don et de fusion dans les bras de son amour n'existent pas.

Au cours de nombreux échanges sur le sujet, j'ai entendu toute une gamme de témoignages tels que : « Il a bouclé le tout en sept minutes », « Elle refuse toujours, prétextant une migraine », « Peu m'importe de ne plus jamais avoir de rapports. » J'ai aussi rencontré des couples qui, après vingt ans de vie commune, me confiaient : « Nous faisons l'amour des heures durant, et c'est de mieux en mieux à chaque fois », ou : « En quarante ans de mariage, je ne crois pas que nous ayons passé plus d'une semaine sans faire l'amour. Cela nous rapproche, rend l'existence plus douce. »

Il convient de ne pas séparer la dimension sacrée de celle – plus concrète – des corps, des pulsions, des odeurs, des soupirs, de l'excitation, du plaisir. La sexualité épanouie d'un couple combine l'intense expérience physique et l'expression profondément sincère d'une connaissance, d'une affection et d'un dévouement mutuels.

Reconnaître le pouvoir de la sexualité à générer un fabuleux flux d'énergie et à apporter un plaisir extrême revient à saluer la merveilleuse nature de notre enveloppe charnelle et son potentiel d'éclosion, d'embrasement, de jaillissement. Lorsque deux personnes s'aiment et permettent à toute la puissance de leurs sexualités de s'unir, cela aboutit à un instant de profonde intimité, étroitement imbriqué au chemin spirituel. En nous ouvrant pleinement l'un à l'autre, nous nous ouvrons au prodige de toute la création.

Bien sûr, le rythme, l'expression et l'intensité varient selon les couples et les moments. Certains connaissent une sexualité continue durant des décennies sans presque jamais atteindre le plaisir. Pour d'autres, le démarrage s'est révélé plus difficile, mais cela s'est arrangé au fil du temps pour devenir plus spontané et ouvert. Et, chez une majorité, le désir a traversé des fluctuations, en fonction des circonstances de la vie, de la naissance des enfants, des problèmes conjugaux, du vieillissement, ou parfois de facteurs inexplicables.

Dans l'ensemble, cependant, trois schémas se dégagent de mes entretiens avec des couples stables. Premièrement, on trouve ceux pour qui la sexualité représente un ciment, une force de guérison : en cas de conflit, faire l'amour leur permet de dépasser la séparation pour se rejoindre dans l'unité. Ensuite, viennent ceux qui expriment leur besoin de clarté et d'amour, avant de pouvoir passer au stade charnel. Enfin, les derniers évoquent un effet circulaire : la sexualité entraîne le rapprochement, le dialogue et la résolution des conflits éveillent le désir. Je devrais peut-être ajouter une quatrième catégorie : celle des rôles mixtes. Par exemple, pour l'homme, le rapport sexuel favorise l'intimité et l'aide à mieux exprimer ses sentiments, alors que la femme désire régler les désaccords avant l'acte.

J'ai toujours été surprise de la capacité de certains à aborder ce sujet, qui se révèle incroyablement riche, sur le plan émotionnel et spirituel. Les témoignages qui suivent regroupent de nombreux éléments essentiels à une relation charnelle intime, et proviennent d'individus aux convictions spirituelles variées.

Marianne, mariée depuis sept ans et membre d'un groupe soufi, décrit son expérience : « J'ai appris à la dure qu'il devait exister un véritable lien entre les deux partenaires. Au début de mon évolution sexuelle, alors que j'étais animée de fortes pulsions, j'ai commencé à sortir avec des garçons sans savoir grand-chose de mon corps, ni de ce que signifiait le sexe. J'accédais à un sentiment de profonde communion durant l'acte, et soudain je me sentais investie vis-à-vis de l'autre et piégée dans des situations malsaines. Si mon partenaire ne me rejoignait pas à ce niveau intense de communication, j'étais ébranlée. Je me dévoilais dans ma fragilité et ma réceptivité, mais je me retrouvais toute seule. J'ai dû inverser mon fonctionnement et en venir à connaître la personne avant de passer à l'acte.

« Avec Phillip, mon mari, nous avons beaucoup attendu. Nous avons cherché à nous connaître puis nous nous sommes engagés l'un envers l'autre avant de faire l'amour. Cela nous a permis d'accéder à un niveau très profond dès le début. Pour moi, le chemin n'a pas été facile. Le fait de m'ouvrir fait rejaillir mon passé, mes anciennes peurs et tous ces non-dits. Voilà pourquoi, selon moi, le plus important est de s'exposer totalement, avec sa vulnérabilité, dans tous les domaines de notre vie. En dépit de nos fluctuations au fil des ans, la menace d'une séparation ou d'une tromperie n'a jamais pesé sur nous. Notre relation est consolidée par bien d'autres ciments, notamment notre profond engagement, toujours vivant en nous. Et il ne nécessite aucun effort de notre part : il est là, simplement. Phillip a une mentalité extrêmement conservatrice et nous partageons une loyauté mutuelle absolue.

« Nous décidons avec précaution de faire l'amour, parce que, si cela ne se révèle pas bon émotionnellement et spirituellement, nous nous disons : "Pourquoi m'être aventuré sur ce terrain ? J'aurais mieux fait de lire un bon roman." Et même si j'en sors physiquement satisfaite, finalement je me sens vide et seule. J'ai besoin que tout soit clarifié au préalable, pour pouvoir rester centrée. Alors, c'est génial ! Lorsque nous nous rencontrons à ce niveau, cela en vaut vraiment la peine. Cela correspond à un état d'élévation dotée d'une harmonie particulière – une fenêtre ouverte sur une expérience plus vaste et plus puissante, comme une communion avec le Tout. »

Contrairement à Phillip et Marianne, certains couples communient presque constamment grâce au sexe. Il s'agit d'un don qu'on ne peut contrôler ni générer délibérément, une attraction physique relevant à la fois du domaine biologique et émotionnel. Elaine a rencontré son époux, Roger, au lycée et ils attendirent leur nuit de noces pour faire l'amour.

« Nous sommes sortis ensemble pendant plus de trois ans et n'avons pas eu de rapport sexuel avant le mariage. À l'époque, c'était mal vu et nous redoutions une grossesse accidentelle. Mais nous avons toujours éprouvé une forte attirance réciproque. Nous avons traversé tellement d'épreuves : ma dépression non diagnostiquée, la grave maladie chronique de notre fille, et toutes ces disputes violentes liées à notre impuissance face à l'état de notre enfant. Mais nous avons toujours réussi à nous retrouver, à nous réconforter mutuellement et à nous réconcilier par le dialogue. Nous nous sommes toujours réservé les vendredis soir pour sortir en amoureux. Et nous continuons à faire l'amour aujourd'hui. »

Lorsque je lui ai demandé si leur vie sexuelle avait changé, elle me répondit, les yeux brillants : « Notre désir existe. Il n'a jamais disparu. Roger est un formidable amant ; il l'a toujours été. Nous nous sommes mariés à l'âge de vingt ans, et le sexe s'est révélé formidable dès le début. Il nous paraît totalement naturel, biologique. Certaines choses ne changent jamais. »

Ruth évoque ses trente-huit ans de mariage comme une bénédiction. Ses propos, inspirés de la tradition chrétienne, expriment la fusion entre sexualité, spiritualité et amour bienveillant.

« Le sexe implique une interaction entre l'esprit, l'âme et la chair, une aspiration à comprendre, donner et recevoir. Le lien sexuel se crée au travers de l'amour, ce véritable amour né du partage, de la connaissance. Il ne s'agit pas d'un phénomène purement émotionnel ou sentimental. L'amour découle des manifestations d'attention, de respect et de compassion. Alors, la sexualité devient un cycle : l'union charnelle renforce l'amour, et l'amour amplifie le désir charnel. La sexualité nous relie l'un à l'autre. Une relation physique harmonieuse apporte la joie d'être ensemble, qui se répercute sur toute notre journée. C'est un incroyable ciment.

« Il se produit une sorte de magie quand nous décidons de quitter nos parents, pour nous unir à notre partenaire, pour vraiment ne former qu'un avec lui. Quand on s'est réellement engagé pour la vie, sur des fondations spirituelles – avec l'idée que l'amour est patience, bonté et pardon –, on reste apaisé, comme sous l'effet d'un onguent bienfaisant.

« Sans engagement, le sexe se résume à dévorer une boîte de chocolats : c'est bon, mais ça n'a aucun sens. Et sans satisfaction physique, les sentiments s'émoussent, la relation se grippe, l'harmonie se dissipe.

« En revanche, le vœu commun de s'aimer et de se connaître l'un l'autre engendre une sexualité qui s'épanouit toujours davantage, pour atteindre des sommets qu'un adolescent ne pourrait imaginer, même dans ses plus beaux fantasmes. »

Paul et Haley n'ont plus de rapports sexuels, en raison de leur âge (Paul a quatre-vingt-sept ans), mais auprès d'eux on éprouve vraiment l'impression de se trouver en compagnie de deux amants.

« Je sais qu'aujourd'hui mon pire ennemi est la force de gravité, confie Haley. Mais Paul me voit toujours comme une beauté. Il m'appelle "ma chérie", "ma jolie". Je lis l'amour dans ses yeux. Je sais qu'il ne me quittera jamais et il sait que je ne le quitterai jamais. Nous sommes ensemble tous les jours. » Ces deux époux font l'amour à chaque minute, au travers de gestes, de caresses, de rires, de regards complices et de paroles tendres.

Pour résumer, la plupart des couples avec lesquels je me suis entretenue, quelles que soient leurs religions, croyances ou affinités sexuelles, évoquent, chacun à sa façon, l'engagement, la vulnérabilité, la confiance, l'honnêteté et l'amour, comme fondements d'une relation charnelle épanouissante et durable.

❷ Comprendre la différence entre jouissance et communion

Si vous êtes accro à la jouissance, vous ne serez jamais capable d'apprécier une relation conjugale. La jouissance ressemble à un flash ; l'amour consiste plutôt à laisser l'eau frémir, bouillonner, puis déborder en nous et sur nous.

Sigurd Hoppe, psychothérapeute

Comment comprendre la sexualité dans le contexte des enseignements bouddhistes, qui considèrent le désir comme un obstacle à la spiritualité, car déclencheur d'attachement ? Le désir est-il toujours un attachement ? Nous pouvons faire la distinction entre l'envie de jouissance et l'attirance physique associée à une authentique relation. Nous, l'espèce humaine, sommes programmés pour être attirés sexuellement, et procréer. Il s'agit là de notre côté animal. Mais nous y ajoutons une dimension spirituelle lorsque le désir charnel et l'excitation font partie intrinsèque d'un lien d'amour, où nous nous joignons, les yeux dans les yeux, et prenons mutuellement plaisir à donner, recevoir, connaître et nous rapprocher de l'autre. Faire l'amour dans le présent, en dehors de toute attente et de tout ego, est diamétralement opposé au sexe narcissique, comme moyen de stimulation, d'assouvissement ou de valorisation de soi.

Le poète soufi Rumi mêle des images sensuelles de l'amour et de la nature : « Le ciel laisse si joliment entrevoir sa nuque », « Nous voici à nouveau avec le Bien-Aimé. Ce souffle d'air est comme un cri, ces sons champêtres, comme un mythe éblouissant », « Dans cette sphère, l'âme gronde tel le tonnerre, Et à présent, place au silence… »

La sexualité issue du cœur représente une expérience naturelle, fluide, le rapprochement de deux personnes engagées l'une envers l'autre, dans leur âme, leur pensée, leur esprit, leur corps. Si nous parvenons à faire taire notre mental et à accueillir, au sein de l'acte d'amour, ces sons de la nature, ce tonnerre, ce silence et cet air, nous pouvons nous fondre dans cette union et éprouver une immense joie.

Pour beaucoup, cela semble difficile. La sexualité sans attachement paraît très étrange à un esprit occidental, élevé dans une culture nous encourageant à acquérir, posséder, contrôler et obtenir ce que nous voulons, parfois au détriment d'autrui ou de nos propres valeurs. Cependant, il s'agit d'un changement de cap à effectuer, pour pénétrer dans un flux d'amour, où donner et recevoir fusionnent en une danse dénuée d'attentes et d'images.

À l'opposé, la sexualité sans attachement équivaut à un rapport moi-objet. Paul Pearsall écrit : « Si nous faisons l'amour pour rechercher la variété, le défi et la conquête, c'est que nous sommes régis par notre biologie plutôt que par notre esprit et notre conscience. » Ainsi, de nombreuses personnes confondent sexe et orgasme. Or celui-ci est une intense jouissance, une tension paroxystique, autrement dit une sensation éphémère, si agréable soit-elle. Si l'acte physique ne vise que ce pic passager, sans communion, sans par-tage du plaisir, nous devenons tous deux des objets. Et le vide s'ensuivra – un vide qui ne sera jamais comblé par le sexe, quels que soient nos tentatives répétées, l'intensité de notre orgasme, la diversité de nos partenaires, le nom-bre de gadgets et de recettes auxquels nous recourrons.

La sexualité moi-objet est teintée de besoin, d'attente, de possession. Cela peut se manifester de manière très subtile. Par exemple, un homme utilisant le sexe pour se rassurer sur sa valeur masque ce besoin de reconnaissance en prétendant se préoccuper du plaisir de sa compagne. Cependant, il se sert d'elle comme on joue d'un violon, simplement pour combler ses propres manques. Cela correspond à un comportement de manipulation, sous des dehors d'attention, dont la motivation reste l'autogratification.

Au cours d'un coït du type moi-objet, nous serons assaillis par des pensées telles que : « Est-ce que je fais bien ? », « M'aime-t-il ? », « Obtiendrai-je ce que je veux ? » Parfois, nous nous murons et nous sentons seuls et perdus, ou nous regardons le plafond en attendant que cela finisse. Il arrive aussi que nous éprouvions d'intenses sensations physiques qui nous enflamment un ins-tant, mais une fois encore, nous nous retrouvons rongés par le vide et nous remettons en quête de sexe ou de tout autre palliatif susceptible de nous rem-plir. En réalité, si nous ne savons pas nouer un lien profond où vivre l'inti-mité, nous recherchons souvent des stimulations ou des émotions extrêmes.

Le sexe pour la jouissance n'a rien à voir avec une relation de couple, ni avec la conscience de ce que nous sommes. Utiliser le corps d'un autre sans établir de réel échange avec lui, au travers de l'amour et de l'envie de connaî-tre, est une violation qui imprègne tout notre être. Nous n'en mesurons pas le prix, mais nous en faisons les frais au travers de nos sentiments de solitude, de vide et d'agitation. Cela peut aussi générer toute une gamme de compulsions ou de dépendances. Et l'on peut observer ce genre de comportement chez des gens attentionnés et généreux, mais incapables de faire autrement.

Cela m'amène au sujet de la pornographie, qui se glisse de plus en plus au sein des couples. Je me rends compte en effet que, confrontés à des difficultés sexuelles, les gens y recourent souvent. J'ai donc demandé à mon ami Larry, qui a participé à de nombreux ateliers thérapeutiques pour hommes, de m'expliquer pourquoi ils affectionnaient tant ce type d'images. Voici sa réponse :

« Avec la pornographie, on a le contrôle absolu. Il n'y a pas de véritable être humain à l'autre extrémité de la relation. On peut s'évader dans un monde fantasmatique et créer l'histoire qu'on veut. On peut faire n'importe quoi à la femme, l'utiliser sans se soucier de ses besoins. Il n'existe pas de lien, pas de réalité, pas d'engagement à se montrer humain, ni à gérer quoi que ce soit d'humain. La personne sur l'écran n'est qu'un objet. »

On ne peut compartimenter la conscience. Le bouddhisme prône la bienveillance et le respect de tous, et affirme l'interrelation entre toutes choses. Par exemple, lorsque nous regardons une actrice de film X, pensons-nous à ce qui l'a conduite à faire cela ? L'inceste ? Le viol ? La pauvreté ? Voudrions-nous voir notre mère, notre sœur ou notre fille à sa place ? Sommes-nous prêts à participer à sa sujétion ? Souhaitons-nous que ces visions persistent dans notre esprit ?

De nombreuses femmes m'ont parlé de leur indignation quand elles surprenaient leur conjoint en train de consulter des sites pornographiques sur Internet. « Cela me met tellement en colère ! me confiait l'une d'elles. Comment peut-il me faire l'amour après s'être rassasié de ces images ? Cela me fait perdre tout désir. Je me demande ce qu'il a dans la tête. » Toutes ne partagent pas cette réaction. Même si les hommes et les femmes ne mesurent pas les effets néfastes de la pornographie, ils les subissent. Ces répercussions se manifestent dans le manque de profondeur et d'abandon caractérisant leur vie sexuelle, dans leur difficulté à s'engager au côté d'un autre être de chair et de sang, et à se montrer ouverts, investis, honnêtes, aimants.

Si l'usage de la pornographie est principalement masculin, l'esprit qu'elle véhicule s'étend aux femmes. En effet, elles se comportent quelquefois en objets sexuels dans leur apparence et leur attitude, afin d'avoir une sensation de pouvoir ou de contrôle. Il arrive aussi que, pour satisfaire leur conjoint, elles acceptent des pratiques sexuelles qui leur déplaisent. Certaines s'inscrivent sur des sites d'annonces et nouent des relations virtuelles, lorsqu'elles sont furieuses contre leur compagnon ou pour atténuer leur impression de solitude.

En aidant mes clients à sonder la motivation sous-jacente à leur goût pour les films classés X, je me suis rendu compte que ce schéma remontait souvent à l'adolescent maladroit, terrorisé devant les « filles ». L'un de mes clients m'expliqua : « J'étais en terminale et je n'avais jamais connu le moindre flirt. J'y pensais tout le temps, mais j'avais peur d'inviter une fille à sortir. Alors, *Playboy* est devenu mon exutoire. »

L'issue à ce dilemme, pour les hommes comme pour les femmes, consiste à sauter le pas vers la confiance et à décider de dépasser toute forme de comportement sexuel du type moi-objet. Dans la pratique bouddhique, chacun s'engage à renoncer, durant un certain nombre de mois, à une chose qu'il emploie comme échappatoire. Il peut s'agir des sucreries, du chocolat, du jeu, des médisances, du manque de ponctualité, de l'alcool ou de la pornographie. Le but de cette démarche est de découvrir ce qui émerge en l'absence de cette soupape de sécurité.

Nombre d'individus ont besoin de se réconcilier avec l'adolescent maladroit en eux, de l'aider à grandir pour se positionner comme l'adulte, l'amant et l'ami. Nous devons nous concentrer sur nos émotions et nos peurs, afin de nous libérer et de devenir aptes à nouer un lien émotionnellement humain et intime, où la sexualité représente une expérience pleine et riche, insufflant encore plus de profondeur à notre connaissance et à notre amour de l'autre.

❸ Découvrir pourquoi le feu s'est éteint

Lorsque le désir et l'attirance s'émoussent, nous sommes privés d'une dimension positive et essentielle de la relation. À mesure que nous vieillissons, bien sûr, nos pulsions peuvent s'atténuer. Néanmoins, cela n'exclut pas un contact physique affectueux.

J'encourage vivement les couples qui ont perdu l'étincelle à chercher la cause de cette séparation. Parfois, ils tentent de rationaliser la distance sexuelle par des commentaires du genre : « Nous sommes devenus de bons compagnons », ou « Il est naturel de ne plus s'intéresser au sexe quand on a des enfants. » C'est probablement le cas, durant un certain temps ; mais il faut souvent rechercher des causes plus profondes. L'absence de rapports charnels dans une relation peut en assécher la vitalité et générer une coupure ; cela augmente le risque d'éloignement affectif ou d'infidélité.

La liste suivante recense quelques raisons possibles, expliquant le désintérêt sexuel. En la parcourant, il convient d'écouter ses réactions émotionnelles et physiques. Elles constituent le meilleur indicateur de ce qui est vrai pour nous.

1. Traitement médicamenteux, maladie, dépression, angoisse ; consulter un médecin pour savoir s'il peut s'agir d'un facteur déterminant.

2. Manque de connaissances au sujet du sexe, du désir, des pulsions et des multiples facettes du rapport charnel. Les partenaires s'aiment, mais le sexe reste fondamentalement un acte mécanique et axé sur l'orgasme, sans signification plus profonde. Il peut se révéler utile de lire un ouvrage sur le sujet, de participer à des ateliers, de parler avec d'autres couples ou de consulter un spécialiste. Peut-être faut-il simplement prendre davantage de temps pour se toucher et se caresser mutuellement, afin de connaître plus intimement le corps de l'autre.

3. La relation a perdu de son sens. La routine s'est installée et les conjoints n'échangent plus grand-chose, ne passent plus de temps ensemble et ne considèrent plus leur couple comme une priorité. Les deux partenaires se sont peut-être laissé emporter par le rythme effréné de leur vie individuelle,

et il ne reste plus de place pour la joie, la créativité, la spontanéité ou le plaisir en général.

4. L'un des conjoints a accepté le rapport sexuel par devoir, par peur de dire non. Le fait d'aller à contre-courant de sa vérité intérieure a engendré une résistance qui a émoussé le désir.

5. La relation sexuelle est empreinte d'une forme plus ou moins camouflée de « consommation ». Si l'un des conjoints recourt au sexe pour assouvir son envie de jouissance ou de sécurité, son besoin de relâcher ses tensions, de calmer ses angoisses ou de redorer son ego, cela revient à sécréter des toxines au cœur de la relation.

6. Certaines étapes propres au développement de l'individu n'ont pas été dépassées. Par exemple, une personne figée dans l'état de l'adolescent rebelle ne sera pas émotionnellement généreuse dans l'acte d'amour, car le fait de donner à l'autre sera vécu comme la perte d'une partie de soi. De même, si deux personnes font l'amour dans un état d'enfant, elles utilisent le sexe pour combler un vide affectif. Cela peut générer un trouble intérieur, une tristesse ou des accès de colère dirigés sur le partenaire.

7. Certains problèmes d'abus sexuel ou de maltraitance n'ont pas été abordés. Il peut se révéler important de réfléchir sur les messages sexuels transmis par la famille ou la culture, afin de découvrir si d'éventuelles blessures, ayant affecté le système nerveux, poussent l'individu à percevoir la situation comme dangereuse ou douloureuse. Parfois, ce questionnement nécessite l'aide d'un professionnel.

8. Si le sexe a été associé au harcèlement, à la pornographie, à la soumission ou à la honte, il peut être difficile de vivre une relation charnelle dans

le mariage. Un homme m'avoua un jour : « Notre relation peut être qualifiée d'abstinente. Je me dis tout le temps : "Je ne peux pas coucher avec elle : c'est mon épouse. Je l'aime, et le sexe, c'est sale." »

9. Bouleversements hormonaux dus au vieillissement ou à la ménopause. Ce facteur varie beaucoup selon les individus et il existe des remèdes permettant de raviver le désir.

10. Grossesse et naissance d'un enfant.

Si l'une quelconque de ces idées s'applique à nous ou à notre couple, il convient de nous demander quelles démarches nous pouvons entreprendre pour opérer des changements dans notre vie, afin de pouvoir à nouveau ressentir le doux plaisir de l'amour dans les bras de l'être aimé.

❹ Développer un lien charnel plus profond

> *Il existe un baiser que nous désirons*
> *De toute notre vie,*
> *Cette caresse de l'Esprit sur notre corps…*
>
> Rumi

Parfois, améliorer la sexualité du couple nécessite d'en apprendre davantage sur le sujet, et sur le corps en général. Il peut aussi s'agir d'un problème lié à la relation elle-même. Dans ce cas, il convient plutôt d'essayer de s'ouvrir l'un à l'autre pour s'entraider. Nous serons peut-être aussi amenés à disséquer tous les messages transmis, associant le sexe au contrôle, au pouvoir, à la domination, à la sécurité, à l'obligation.

Quelle que soit la démarche qui nous conviendra, la première étape consiste à réaffirmer notre engagement l'un envers l'autre, à nommer les difficultés et à révéler nos véritables sentiments. N'oublions pas : la fréquence des rapports est bien moins importante que le degré d'échange et de plaisir ressenti.

Voici des suggestions utiles pour régénérer une vie sexuelle, qu'elle se caractérise par l'obsession ou par la perte de désir.

1. Aspirer à se connaître soi-même en profondeur. Pour accomplir un premier pas dans cette direction, on peut se dire : « Je décide de ressentir tout ce qui se passe en moi au fil de la journée, pendant l'acte lui-même ou quand je pense au sexe. Je suis prêt à réfléchir sur moi-même et à regarder en face tout ce qui se dissimule sous la surface. »

2. Devenir ouvert et vulnérable face à son conjoint : parler de ses peurs, espoirs, chagrins et joies. Aborder le sujet de la relation sexuelle avec lui et l'interroger sur sa perception des choses. Quelles sont ses émotions et ses réactions ? Se montrer tout à fait honnêtes l'un envers l'autre. Préciser le temps nécessaire à chacun pour atteindre l'excitation puis trouver une manière de satisfaire les deux parties.

3. Sonder sa propre motivation vis-à-vis du sexe. Sommes-nous animés par le besoin de jouissance, ou par le désir de combler un manque, de relâcher nos tensions, de remplir nos obligations, de faire plaisir à l'autre, de nous convaincre que nous sommes aimés, d'éviter le conflit ? Si tel est le cas, observer nos sensations avant, pendant et après l'acte. Rechercher des manières de vivre une intimité émotionnelle en dehors du sexe. Essayer aussi, par

des contacts tactiles, des caresses, des massages, de se donner du plaisir mutuellement, sans se fixer sur l'orgasme – ni même sur le sexe.

4. Pendant l'acte, agir lentement, prendre au moins trente à quarante-cinq minutes pour explorer le corps de l'autre et accéder au plaisir partagé. Permettre à l'énergie de monter jusqu'à notre cœur. Ne pas oublier que les femmes ont en général besoin de plus de temps que les hommes pour atteindre l'excitation.

5. Pendant l'acte, laisser l'énergie s'intensifier. L'inspirer vers le haut et s'ouvrir à l'expérience de cette force vibratoire, accompagnée de sensations de joie et de volupté. Cela peut paraître facile, mais s'abandonner à une puissante jouissance physique va souvent à l'encontre de notre image de « gentil garçon » ou de « gentille fille », et implique de dépasser la peur d'être blessé en s'exposant ou en se montrant vulnérable.

6. Être tour à tour celui qui donne ou qui reçoit. L'un des deux conjoints peut alors demander exactement ce qu'il désire, puis on intervertit les rôles.

7. Identifier les façons dont on prend vraiment soin de soi dans tous les domaines de la vie : santé, alimentation, exercice physique, sorties, loisirs, perfectionnement de nos compétences, vie associative, développement de notre conscience. L'idée consiste à se positionner dans la relation comme un individu plein et entier, engagé sur son propre chemin.

8. Éviter la pornographie sous toutes ses formes. Le mode de pensée moi-objet nous divise intérieurement et se traduit souvent, dans les actes, par un comportement moi-objet. Si cela se révèle difficile ou au-delà de nos capacités, nous pouvons alors recourir à un groupe de soutien ou à un spécialiste.

9. Éviter la consommation d'alcool ou de drogues, particulièrement avant l'acte sexuel. Se demander : « En quoi faire l'amour dans un état sobre est-il différent d'avoir un rapport sous l'emprise de substances altérant la conscience ? »

10. Être prêt à explorer l'inconnu. Prendre une douche ensemble et s'oindre mutuellement d'huile. Laver les pieds de l'autre. Se regarder dans les yeux durant l'acte. Prononcer le prénom de l'autre. Se mettre à l'écoute des réactions subtiles du conjoint. Guider ses mains. Alterner les rôles de l'actif et du passif. Varier le rythme, la façon de toucher, de bouger. Allumer des bougies, tamiser la lumière. Parfumer la pièce d'essences aromatiques. Mettre une musique douce. Avant le rapport, parler de ce qu'on aime et de ce qu'on souhaite modifier.

11. Pratiquer l'acte d'amour tout au long de la journée en se touchant mutuellement, en riant ensemble, en s'écoutant et en participant pleinement à toutes les facettes de la relation. Si nous demandons à notre conjoint : « Que puis-je faire pour toi aujourd'hui ? » et que nous nous exécutons, cela représente une merveilleuse manière de « faire l'amour ».

12. Si l'on a régulièrement du mal à dépasser ses résistances, à éprouver du désir ou à se libérer de souvenirs douloureux, solliciter l'aide d'un spécialiste.

Dès lors que nous mettons certaines de ces suggestion en application, nous remarquerons probablement des changements en nous-mêmes et au sein du couple. Parfois, l'amélioration de la relation charnelle se révèle assez simple, aisée ; parfois, elle exige de clarifier des problèmes plus profonds.

La sexualité fait partie intégrante de notre équilibre physique, mental et émotionnel. Notre énergie sexuelle se confond avec notre énergie vitale et spirituelle. Lorsque nous entrons en communion totale avec l'autre, nous disposons d'une force bienfaisante, dont les effets se répercutent sur tout notre être.

§ S'encourager l'un l'autre à être complètement honnête

> *Quand je suis comme un saule, je peux être avec l'autre et rester moi-même — je ne me transforme pas en une espèce d'arbre différente, juste pour le contenter. Je me dresse telle que je suis, même si l'on cherche à me pousser. Cependant, je peux me courber quand je le souhaite et croître quand j'en ai besoin.*
>
> Janet Luhrs, *Simple Loving*

Sur le chemin spirituel, nous visons à atteindre la limite de nos peurs et à dépasser notre ego, afin de pouvoir rejoindre l'autre dans la communion, l'amour et le plaisir. Cela demande souvent un processus de clarification des anciennes croyances, qui nous empêchent de nous montrer honnêtes.

Si nous nous plions au désir de l'autre par culpabilité, par devoir ou par crainte d'être quittés, nous gravons dans notre cerveau un message associant le sexe à la trahison de soi. Nous sommes alors divisés intérieurement. Les femmes, en particulier, évoquent régulièrement ce dilemme obsédant. D'un côté, elles pensent : « Non, je ne veux pas. » De l'autre, en refusant, elles se sentent fautives de ne pas se montrer bonne compagne, agréable et dévouée.

Finalement, elles se résignent, acceptent le sexe sans conviction et vivent une expérience charnelle vide de sens, qui renforce encore leur résistance.

Rappelons-nous : notre génération commence seulement à dépasser une conception du couple en vigueur depuis des millénaires, selon laquelle le mariage constitue une sorte de troc : disponibilité physique de l'épouse en échange de sécurité. Dès lors, nous comprenons mieux cette lutte et ce désarroi intérieurs, encore si fréquents de nos jours.

Il faut encourager les femmes à dire non au sexe sans se sentir coupables ou honteuses. Cela permet un oui franc et massif. Voici l'histoire de Marie qui, après sept ans de mariage, sauta le pas et fit prendre un tournant très important et bénéfique à la sexualité de son couple.

« Au début, je n'étais pas du tout présente quand nous faisions l'amour. Mon esprit vagabondait et je me renfermais. La performance comptait plus que l'intimité. Lawrence le remarquait bien, mais je ne savais pas quoi faire. Puis j'ai lu un article sur le viol conjugal et cela m'a fait réfléchir. J'avais toujours, en arrière-plan, cette impression d'aller contre ma volonté, même si j'éprouvais du plaisir physique.

« Finalement, je me suis rendu compte que je n'avais jamais pu dire non à Lawrence sans voir sur son visage une expression de dépit ou de peine. Je me suis aussi rendu compte que ma peur de refuser était associée à un abus sexuel perpétré par mon grand-père. À l'époque, je me sentais très confuse : c'était un homme doux et gentil, et ces moments auprès de lui me semblaient agréables ; en même temps, j'avais conscience que nous faisions quelque chose de mal.

« Grâce à la profonde confiance régissant notre couple, j'ai pu expliquer cela à Lawrence. "J'ai besoin de pouvoir te dire non et que tu l'acceptes pleinement. Cela ne signifie pas que je ne veuille pas faire l'amour avec toi. Au contraire. Mais je souhaiterais que tu me sollicites très souvent, pour que je puisse m'entraîner à refuser. J'ai besoin de savoir que j'en suis capable. Si tu es prêt à faire cela pour moi, je serai prête à entendre ta frustration." »

« Et comment a-t-il réagi ? » lui ai-je demandé.

« Il n'a pas compris. »

« Alors, qu'avez-vous fait ? »

« Je lui ai dit : "Lawrence, nous avons trois filles et tous nos comportements déteignent sur elles. Tu veux qu'elles couchent dès le lycée avec le premier venu, parce qu'elles ne s'autorisent pas à dire non ?" »

« Et qu'a-t-il répondu à cela ? » me suis-je enquise.

« Cette fois, il a compris ! » s'est-elle exclamée en riant.

Lawrence intervint alors dans la conversation : « J'ai mesuré l'importance que cela revêtait pour nous, mais je devais dépasser l'idée qu'elle me rejetait : son acquiescement à mes désirs ne constitue plus la mesure de ma valeur. Par la suite, les choses se sont vraiment améliorées. Maintenant, quand nous faisons l'amour, nous sommes tous les deux vraiment présents. Notre sexualité ne comporte plus rien de sournois. Nous privilégions la qualité, plutôt que la quantité. »

Et Marie ajouta :

« Nous avons pu traverser cette épreuve parce que nous partagions un lien très fort et une immense confiance mutuelle. Cela prend du temps d'instaurer un tel degré d'échange. J'avais aussi envie que Lawrence me demande directement de faire l'amour, pour pouvoir clairement lui répondre oui. Je voulais supprimer toute forme de manipulation, de présomption qu'il avait des droits sur moi. Quand il a commencé à formuler explicitement ses désirs, tout a changé radicalement. »

« Ce revirement est intervenu voici dix ans maintenant, ai-je poursuivi. Comment va votre sexualité aujourd'hui ? »

Lawrence détourna les yeux et le visage de Marie s'éclaira.

« Mieux que jamais. Lawrence est un amant merveilleux. Il sait si bien s'occuper de moi ! »

« Je me sens gêné », murmura-t-il en rougissant.

« Et pour vous, c'est comment ? » lui demandai-je.

« Si tout se passait selon mes souhaits, nous ferions l'amour plus fréquemment. J'attends plutôt que Marie prenne l'initiative, car ainsi elle se donne vraiment. Je crois aussi que l'union charnelle possède des vertus bienfaisantes en cas de problème. Cela m'aide à m'ouvrir davantage. Mais Marie ne partage pas ce point de vue. Elle préfère que les choses soient clarifiées avant un rapprochement physique. Et parfois, elle a raison. On ne sait jamais à coup sûr. Il n'y a pas de règles établies pour cela. »

Si, selon les messages ancestraux véhiculés par la société, les femmes ne sont pas censées apprécier le sexe mais doivent toujours s'y soumettre, les hommes, quant à eux, ont été conditionnés à penser qu'ils doivent coucher dès que l'occasion s'en présente Cependant, à mesure qu'ils deviennent plus conscients, eux aussi désirent faire l'amour dans un esprit de lien et d'affection, et eux aussi doivent se sentir libres de dire non.

L'accomplissement de tout individu passe par la clarté et l'intégrité dans le domaine du sexe, à savoir la faculté de s'unir à l'autre, corps et âme, dans cet espace du Nous, afin d'exprimer notre amour mutuel, de nous donner du plaisir ensemble et de ne plus former qu'un.

⑥ Rester amants tout en étant parents

Le passage au statut de parent est l'un des tournants les plus radicaux de l'existence. Grossesse, accouchement et arrivée du bébé à la maison créent une nouvelle dynamique. Une naissance bouleverse tous les aspects de notre vie, y compris notre sexualité de couple.

Entretenir le romantisme tout en assurant l'éducation des enfants constitue l'une des premières épreuves tests, et aussi l'une des plus difficiles pour un couple. Voici comment Marie et Lawrence ont réussi à préserver leur intimité.

« Nous prenons parfois rendez-vous le vendredi ou le samedi pour faire l'amour. Nous nous assurons de nous réserver un moment, uniquement consacré à nous deux, au moins une fois par semaine, avec ou sans rapport sexuel. Nous nous efforçons vraiment de ne pas laisser nos trois filles interrompre ce tête-à-tête, même si nous nous occupons beaucoup d'elles. »

Cette réponse m'a été souvent faite par les couples qui n'avaient pas sacrifié leur libido aux enfants, au travail et autres obligations. La relation amoureuse restait primordiale. C'est notamment le cas de Charles et Elizabeth, qui décrivaient leur sexualité, durant leurs quarante-six années de mariage, comme « plutôt torride ». Lorsque je les interrogeai sur les aspects familiaux et professionnels, ils furent catégoriques : « Nous ne les laissons pas faire obstacle à notre intimité. »

Ruth, quant à elle, me confia : « C'était merveilleux de faire l'amour pendant que j'allaitais nos trois enfants. Je crois que mon mari aimait l'idée du lait dans mes seins. Notre relation de couple a toujours existé, en dehors de notre rôle parental. »

Afin de préserver la vitalité du désir au cours de la première année suivant un accouchement, il importe que le conjoint se montre prévenant et encourageant, qu'il reste généreux, attentionné, admiratif ; cela contribue à entretenir l'amour. Si la mère se sent continuellement épuisée, privée de soutien et délaissée, elle peut en concevoir du ressentiment ou simplement ne plus avoir la force nécessaire pour se soucier du couple. Par conséquent, même quand la femme devient maman, l'homme doit continuer de la traiter comme son amante et sa bien-aimée.

Cela nous amène au point suivant : il faut établir une séparation claire entre les parents et les enfants. Dans les mariages conflictuels, l'un des conjoints pallie souvent l'absence de proximité émotionnelle via sa progéniture, à l'exclusion de son partenaire.

Or, si un enfant représente la seule source de lien affectif, il se retrouve piégé dans un triangle infernal, inconsciemment déchiré entre sa position privilégiée et son inquiétude vis-à-vis du parent délaissé. Cela peut aussi générer en lui un sentiment d'échec, car il ne parviendra jamais à assouvir le besoin d'intimité de ses père et mère, ni à combler leur vide.

Certains époux affirment être trop occupés pour faire l'amour. À mon avis, les véritables causes de leur abstinence sont plus profondes. Au cours de mes entretiens, tous les couples harmonieux affirment trouver le temps de se fixer des rendez-vous en amoureux, en dépit de carrières très prenantes, d'enfants à éduquer, de responsabilités à assumer et d'engagements associatifs. Du reste, ces moments ne sont pas exclusivement consacrés au sexe, mais aussi au plaisir de se retrouver et d'entretenir la flamme.

❼ Comprendre le vrai sens de la monogamie

Afin de nous immerger pleinement dans l'amour et l'union sexuelle, il paraît sage de rester monogame. Cela offre la liberté de connaître entièrement l'autre, de se forger un rythme quotidien qui tisse les vies ensemble dans ce partage du cœur qui nous conduit à celui des corps.

Il ne s'agit pas ici d'un jugement moral. Mais ayant connu la permissivité des années 60 et 70 et rencontré nombre de couples qui se sont essayés au « mariage libre », j'en suis arrivée à la conclusion suivante : si nous souhaitons fusionner dans les bras de l'être aimé et vivre une communion mystique, nous avons besoin de la sécurité et de la profondeur que garantit la monogamie. Il n'est pas impossible d'éprouver un élan de passion pour une autre personne, mais vivre deux relations sexuelles simultanément pose d'énormes problèmes.

Trop souvent, les personnes aspirant à un « mariage libre » tentent de satisfaire des besoins émotionnels inconscients au travers des rapports physiques, de combler des manques non identifiés ou d'utiliser la liaison extraconjugale pour éviter de regarder en face les failles de leur relation maritale. Je n'ai rencontré que de rares exceptions où ce type d'arrangement n'ait pas abouti au stress, à la confusion ou à la déception. Très souvent, ces couples consacrent une partie excessive de leur temps au sexe et aux répercussions émotionnelles de cette situation ambiguë. Dans bien des cas, cela s'accompagne aussi de consommation d'alcool ou de drogues.

Dans le cœur de l'être aimé, la sexualité signifie l'abandon complet, la création d'un lien aussi profond que possible. Nous ne formons plus qu'un, ce qui reflète notre union avec Dieu ou l'Esprit universel. Une relation de cette qualité revêt un caractère fort précieux. Zamila, mon maître soufi, me l'expliquait : « Nous essayons tous de devenir entiers. C'est pourquoi nous nous mettons en couple. La raison d'être de la monogamie pourrait se résumer ainsi : chaque fois que nous pénétrons le territoire d'autrui, nous pénétrons son essence. Chaque fois que nous pénétrons l'essence d'autrui, nous créons une essence partagée avec lui. Nous devenons un seul corps. Il s'agit d'un phénomène très profond. Si cela se produit sur le plan sexuel, nous mélangeons nos essences au niveau le plus intime qui soit. Et si nous introduisons une tierce personne dans cet espace, nous polluons cette essence. Les gens ne mesurent pas jusqu'où l'intimité peut aller. »

Plusieurs patients ont évoqué cette même idée lors de nos entretiens. Ils se déclaraient tellement unis à leur partenaire, à tous les niveaux de leur être, que toute intrusion extérieure dans cette communion leur semblait inconcevable. D'autres tenaient des propos plus prosaïques : « Je ne voudrais pas d'un tel embrouillamini », « Je ne peux pas imaginer une telle chose, sans que cela déclenche jalousies et blessures », « J'arrive déjà à peine à gérer une seule relation amoureuse ! »

À son degré ultime, la monogamie nous ouvre la possibilité de nous plonger dans la signification profonde de l'union et de nous sentir en harmonie avec tout ce qui est.

⑧ Être attiré par d'autres : que faire ?

Il est naturel d'être attiré par des personnes autres que notre conjoint. En effet, à mesure que notre amour abat toutes les barrières, nous éprouvons souvent une intense affection et tendresse à l'égard des autres, et parfois nous franchissons la frontière de la sexualité. Or se fixer des limites claires constitue l'un des impératifs d'une relation monogame solide. Pour certains, cela se révèle aisé, pour d'autres non.

Eric considérait cela comme une règle absolue, qu'il n'avait jamais transgressée : « Bien sûr, j'ai été attiré par d'autres. Mais je suis marié à ma femme et je ne risquerais jamais de lui causer une telle peine, une telle douleur. »

En général, un badinage devient sérieux et se transforme en liaison à la suite d'une longue période de satisfaction mitigée au sein du couple. Tel fut le cas de Lily, qui faillit tromper son époux Les, après quinze ans de vie commune, au cours desquels leur sexualité avait toujours été chaotique.

« J'ai ce problème de retenue, d'incapacité à m'ouvrir. Deux ans après la naissance de ma fille, je me sentais éloignée de Les. C'est alors que j'ai rencontré ce superbe professeur de danse. Son visage, son corps, tout était beau en lui. J'étais magnétisée. Je passais des heures devant la glace, à me coiffer et à choisir mes vêtements avant d'aller à son cours. Un jour, je lui ai proposé une séance de relaxation dans mon cabinet. Jamais je n'avais pratiqué de massage aussi sensuel. S'il m'avait fait une quelconque avance, j'aurais probablement cédé. J'avais envie de lui sauter dessus. J'étais totalement hypnotisée. »

« Comment avez-vous géré cela au sein de votre couple ? », lui demandai-je. « J'ai parlé franchement à Les. Je lui ai dit : "Écoute, je n'ai nullement l'intention de te quitter, mais ce type me met dans tous mes états. Je n'ai pas ressenti cela depuis une éternité." Les était paniqué, mais il m'a laissée finir. Il s'est montré gentil. Et il ne m'a pas attaquée ni dépréciée, malgré sa colère. Aujourd'hui, je suis heureuse de pouvoir affirmer que nous avons dépassé cette épreuve. J'en ai tiré une leçon : notre relation dépend beaucoup de ma réceptivité. Mon mari n'a rien à changer : il est romantique, il m'aime. Mais moi, je dois apprendre à m'ouvrir davantage. Le plus étonnant dans cette histoire, c'est que l'année suivante, quand j'ai croisé mon prof de danse dans la rue, j'étais enceinte et le voir ne m'a fait aucun effet. »

Lily et Les sont parvenus à préserver leur intégrité durant cette épisode difficile. Elle a exprimé directement son attirance et son dilemme, et il n'a pas pris cela comme une attaque personnelle. Il a compris qu'il s'agissait d'une épreuve à traverser pour elle ; même s'il en a éprouvé de la douleur, il n'a pas brisé leur lien, est resté dans l'échange sans l'agresser.

D'autres dérapent vraiment et passent à l'acte. Quand je travaille avec des couples aux prises avec une infidélité récente, ou récemment découverte, je consacre peu de temps aux détails factuels autres que la durée, le nombre d'incartades et leur nature, afin d'orienter les conjoints vers la signification d'un tel incident. Comment allait la relation avant la liaison ? Que représentait cette aventure pour la personne qui l'a vécue ? Le partenaire en était-il complice, d'une manière ou d'une autre ? Dans quelle mesure les conjoints se sont-ils engagés à réparer leur lien ? Que leur faudrait-il pour restaurer la confiance ? Nous explorons aussi des points corollaires, tels que l'alcool, la drogue, la compulsion sexuelle et autres dépendances.

Les liaisons découlent de plusieurs facteurs. En général, pour les hommes, elles constituent un moyen d'assouvir leur envie de sexe ou d'excitation, d'affirmer leur virilité ou leur pouvoir de séduction. Quant aux femmes, elles sont principalement motivées par l'impression de dépérir au sein de leur couple : elles se sentent seules, malheureuses, non appréciées. Dès que quelqu'un leur témoigne un intérêt teinté de romantisme, cela réveille en elles un ravissement, une fébrilité, un trouble et une énergie charnelle depuis longtemps oubliés. C'est comme une renaissance. Dans les cas d'aventures répétées, il s'agit plus probablement d'un comportement compulsif, à aborder comme une dépendance.

Les personnes des deux sexes sont tout autant anéanties par l'infidélité de leur partenaire, mais les hommes parviennent plus difficilement à pardonner, à oublier et à reconnaître leur responsabilité dans le déclin du couple. Leur ego blessé les rend plus enclins à harceler leur compagne de rappels sournois et hostiles durant des années. Quant aux femmes, elles se comparent à l'« autre ». Elles s'imaginent que, si leur conjoint a couché avec elle, c'est qu'il l'aime. La plupart du temps, cependant, elles veulent sauver leur couple : elles sont donc davantage prêtes à pardonner et à se concentrer sur les moyens d'améliorer la relation.

Au début de son mariage avec Mike, Shanda eut une liaison. Mike fut choqué, furieux et blessé. Mais il ne voulait pas d'une rupture. Quand ils vinrent me consulter, quatre ans après cet incident, Mike en parlait encore comme d'une blessure ouverte, et son épouse était lasse de l'entendre ressasser ce même refrain.

« Comment pouvons-nous dépasser cela ? », me demanda Shanda. « Je crois qu'il faut poser cette question à Mike », répondis-je.

En vérité celui-ci peinait à oublier cet épisode, malgré les regrets sincères de sa femme et son absolue fidélité depuis, parce qu'il abritait une rage non résolue contre sa mère, accompagnée d'une profonde autodépréciation. Cette liaison lui permettait d'exprimer sa colère et de se sentir dans son bon droit, irréprochable. Il lui fallut du temps pour se rendre compte qu'en s'attardant sur cette blessure et cette rancœur, il renforçait sa mésestime de lui-même et qu'en un sens il retournait lui-même le couteau dans la plaie.

Pour employer des termes bouddhistes, il se racontait sans cesse la même histoire, qui validait son identité de victime. Il devait renoncer à son pouvoir de recourir à ce faux-fuyant chaque fois qu'il était en colère. Quant à Shanda, elle devait se libérer de sa culpabilité et fixer ses limites. Elle apprit à dire : « Ce n'est pas juste de revenir là-dessus. Parlons de ce qui se passe réellement en ce moment. »

En analysant ensemble leurs réactions face à cet épisode, ils purent examiner leur relation plus en détail, notamment le secret penchant de Mike pour la pornographie – un problème récurrent au sein du couple. Ainsi, en travaillant, l'une sur sa culpabilité et l'autre sur son estime de soi, ils finirent par passer l'éponge. Il reconnut qu'elle s'était fait beaucoup de tort à elle-même : elle avait brisé son engagement, et compromis son intégrité. Ce fut un processus ardu, mais leurs efforts et leur volonté de se montrer vulnérables leur permirent de sauver leur mariage, dont ils ont récemment fêté les vingt ans.

Si nous nous sentons enclins à franchir cette frontière, il faut rapidement initier une discussion sincère et honnête avec notre partenaire sur tous les aspects de notre couple. Les liaisons se révélent des épreuves difficiles à surmonter et laissent souvent des cicatrices indélébiles.

Notre tâche au sein d'une relation consiste à nous efforcer consciemment de rester reliés l'un à l'autre et à explorer notre sexualité comme une part de ce lien. Le bouddhisme nous enseigne que nous sommes tous faits de la même énergie. La relation charnelle est la manifestation d'un être entier fusionnant avec un autre être entier. L'acte physique d'amour, dans lequel nous nous mêlons l'un à l'autre, nous permet de dissoudre toute forme de séparation pour découvrir le véritable sens de l'unité.

⊚ Faire l'amour avec un esprit de débutant

> *Est-ce là un attouchement ? ... Un frisson me presse vers une neuve*
> *identité,*
> *Quand flammes et éther se ruent vers mes veines,*
> *Qu'un pôle de moi traîtreusement fait effort et assaut afin de leur*
> *venir en aide,*
> *Que mes chair et sang jouent à l'éclair, pour frapper ce qui n'est*
> *guère différent de moi-même.*
>
> Walt Whitman, *Feuilles d'herbe*

Si nous abordons l'acte charnel comme un débutant, nous laissons l'amour déborder de notre être, tandis que notre côté créatif et intuitif s'éveille. Nous absorbons le miracle de la création, qui se manifeste d'instant en instant. Nous sentons nos vibrations épidermiques nous envahir et se prolonger en l'autre.

Avec un esprit neuf, nous faisons toujours l'amour à l'être aimé pour la première fois, parce qu'il n'y a ni passé, ni futur, ni attente. Nous sommes ici avec notre partenaire pour nous découvrir l'un l'autre, pour éprouver le plaisir et nous émerveiller de la magie de nos corps.

Imaginez que vous faites l'amour l'esprit complètement vide. Sans souvenir du passé, avec seulement votre amour pour votre partenaire. Que vos pensées se résument au vœu d'être tous deux heureux, de ressentir l'amour et la source de tout amour.

Imaginez qu'en vous regardant l'un l'autre, vous vous touchez lentement, doucement le visage, en un endroit très précis. Mettez-vous entièrement à l'écoute de vos sensations. Prenez conscience de vos doigts effleurant sa peau, comme si vous le touchiez pour la première fois. Dans votre cœur, souhaitez à l'être aimé un bonheur complet. Écoutez encore plus profondément, remarquez comme vos sensations évoluent. Continuez de vous regarder dans les yeux. Soyez conscient de vos sensations, là où l'autre vous touche.

Quand vous vous sentez prêt, bougez un peu plus les doigts, en restant pleinement conscient de vos sensations. Allez lentement, doucement. Continuez à caresser le visage de votre partenaire, tout en vous reliant par vos regards. Vous pouvez rester sur la même zone assez longtemps ou éprouver le désir d'en changer. N'accélérez pas le rythme, afin de rester au diapason l'un de l'autre. Explorez, notez la moindre réaction chez l'autre ou en vous. Autorisez votre corps et votre cœur à prendre le dessus, à guider votre main. Suivez les subtils indices que vous recevez l'un de l'autre, en vous rappelant qu'il n'y a pas de but, pas d'autre moment que celui-ci.

À mesure que votre caresse s'éloigne du visage pour suivre le reste du corps, ressentez la moindre onde d'énergie et de plaisir en vous. Laissez-la venir d'elle-même. Respirez et relâchez votre ventre. Prenez le temps. Il n'y a pas de but, pas de projet. Seulement cette caresse et cet instant. Autorisez-vous à vous y prélasser.

Vous aurez peut-être envie d'être tour à tour celui qui reçoit et celui qui donne. Dans ce cas, accordez-vous la liberté d'être pleinement dans ce rôle. Lorsque vous commencez à vous embrasser, écoutez toutes les sensations qui s'éveillent en vous, tandis que vos mêlez vos essences et vos corps. Allez lentement. Savourez l'expérience. Continuez de vous toucher, de vous embrasser, de vous caresser, comme si vous exploriez le corps de l'être aimé pour la première fois, comme s'il s'agissait de l'expérience la plus merveilleuse que vous ayez vécue.

Sentez la douceur et la force de vos deux corps. Variez votre toucher : doux, du bout des doigts, ou plus profond, pressant. Explorez le grain de la peau. Laissez-vous guider par les courbes des muscles, par les émotions. Sentez la puissance de l'énergie qui monte, emplit votre corps et se répand, comme une vague inondant votre être entier, comme le feu et la foudre, ou comme la douceur d'une pluie printanière. Soyez complètement dans votre corps et laissez-le agir à sa guise. Si vous êtes interrompu par une pensée fugace ou une retenue passagère, respirez, relâchez le ventre et revenez aux sensations de l'instant. Demandez ce que vous désirez. Regardez l'autre dans les yeux et plongez dans cette expérience physique. Fusionnez avec ce silence vibrant qui vous permet de vous découvrir vraiment l'un l'autre. Que cet acte d'amour devienne un flot de don et d'accueil qui vous apporte plaisir et joie, puis silence et paix.

Doux, puissant, tendre, joyeux, naturel.

9

Je et Tu : même les couples harmonieux peuvent améliorer leur relation

❹ Prolonger la danse du couple

> L'effort comporte une dimension de voyage, une dimension de processus...
> Comment nous relions-nous à l'inspiration ? Comment nous
> relions-nous à l'étincelle et à la joie présentes dans chaque instant ?
> Pema Chodron

La voie spirituelle invite l'individu à rester ouvert à l'inspiration, à la créativité et à la joie. Ce même principe s'applique au couple. Parfois, la vie semble nous présenter suffisamment de défis, pour en ajouter d'autres encore. Et parfois nous nous installons dans notre train-train et notre danse perd de sa fraîcheur. Le bouddhisme parle souvent d'« ôter le tapis sur lequel nous sommes », pour éviter l'immobilisme et la complaisance, et appréhender l'existence avec une main ouverte, qui ne tente ni de saisir ni de s'accrocher. Sinon, nous brassons seulement du vent.

Le concept du juste effort, l'une des huit étapes de l'octuple sentier menant à l'éveil, implique de dépasser la résistance ou l'autosatisfaction, afin d'explorer des domaines plus vastes, plus merveilleux. Pour moi, cela se traduit notamment par le fait de jouer du piano au lieu d'allumer la télévision, de me promener sur un chemin de montagne dans l'air frais du matin au lieu de paresser au lit. Cela requiert de me faire un peu violence au départ, mais je me sens bien plus heureuse au résultat.

Au sein d'une union, l'effort peut consister à initier une conversation avec son conjoint sur un sujet épineux, que nous évitions d'évoquer jusque-là. Même si nous l'appréhendons, cela peut nous conduire à une plus grande compréhension l'un envers l'autre. Cette notion englobe aussi les attentions au quotidien : apporter des fleurs à notre partenaire, lui préparer un dîner aux chandelles, lui écrire un poème d'amour. Elle s'applique aussi à des décisions plus importantes : déménager, avoir des enfants, envisager un projet, modifier son train de vie, consulter un spécialiste. L'effort maintient la relation en mouvement : dans cette danse, nous apprenons de nouveaux pas, nous évoluons sur d'autres musiques.

Si nous souhaitons insuffler plus de vitalité à notre couple, il faut prendre le temps de parler avec notre partenaire de ce que nous aimons faire ensemble et d'imaginer de nouvelles idées ou activités à explorer, puis de convenir d'une marche à suivre.

Plus nous nous relions dans le moment présent, plus nous intensifions notre lien. Afin d'expérimenter ce principe de manière pratique, essayons, par exemple, pendant une promenade, de parler uniquement de ce que nous voyons ou ressentons sur l'instant : « Oh ! Regarde ce vol d'hirondelles ! » Lors de nos randonnées, mon amie Sue et moi nous arrêtons parfois en chemin et nous immobilisons en silence, pour écouter le chant des oiseaux, le clapotis d'un ruisseau ou le bruissement des arbres caressés par le vent. Plus nous restons longtemps ainsi, plus nous percevons de couches sonores. C'est une forme d'union extatique entre nous : immergées dans l'immensité et la beauté de la nature, nous nous relions alors en un lieu au-delà des mots.

Passons donc du temps avec l'autre sans parler des gens, de l'injustice, de la politique et des problèmes de ce monde. Oublions toute négativité. Soyons pleinement dans le présent – que nous plantions des légumes, cuisinions un plat pour la première fois ou réalisions un projet. Si notre esprit vagabonde, il nous suffit de respirer, de replonger à l'intérieur de nous-mêmes et de revenir à l'ici et maintenant – le seul endroit où l'amour existe.

Parfois, pour nous aider dans notre démarche, nous pouvons nous remémorer les débuts de notre relation. Nous rappeler ces flâneries côte à côte, ces baisers, ces étreintes, ces dîners impromptus. Le plaisir partagé ne demande rien de compliqué : écumer les rayons d'une librairie ensemble, prendre un café à une terrasse, musarder dans de vieilles ruelles, inviter des amis à la bonne franquette, assister à un tournoi sportif, explorer les environs à vélo ou en voiture, s'atteler à des travaux dans la maison, planifier un week-end à la mer. Dressons une liste de tout ce qui nous vient à l'esprit et que nous aimerions faire ensemble : commençons par les activités déjà connues, puis imaginons-en d'autres, inédites. Insufflons de la nouveauté dans notre vie. Cela nourrira notre union.

John Gottman tira de ses recherches la conclusion suivante : les relations harmonieuses « se résument à une formule mathématique simple. Quelle que soit la nature de notre mariage, nous devons vivre cinq fois plus de moments positifs et agréables que de moments négatifs, pour connaître une union stable ».

Cette incitation épicurienne peut sembler en contradiction avec le bouddhisme, qui considère le dévouement à autrui comme crucial sur le chemin spirituel. Effectivement, le service à la communauté de nos semblables constitue la mesure ultime d'une existence de bonté, mais cela doit venir d'une source de vie et non d'un sentiment de devoir, de culpabilité ou d'inquiétude. Tant de personnes se retrouvent embourbées dans un mariage malheureux, un travail stressant, un rôle parental écrasant, ou se sentent moralement obligées de satisfaire les besoins d'autrui en ignorant les leurs propres. Le plaisir partagé et le temps passé ensemble rapprochent nos cœurs, nous apportent de la légèreté, profitent à notre santé et permettent à notre relation de s'épanouir.

Parfois, sauvegarder la vitalité du couple implique un changement radical de fonctionnement. Ainsi, des amis mariés occupaient tous deux un poste à plein temps lorsqu'ils se retrouvèrent parents et obligés d'assurer l'éducation de jeunes enfants. Pour échapper à ce rythme frénétique, ils décidèrent que l'un d'entre eux resterait au foyer pendant quelques années, quitte à réduire leur train de vie. De la sorte, ils pouvaient consacrer plus de temps à leur couple et à leur famille. Marie et Lawrence, quant à eux, renoncèrent à leur carrière de musiciens à San Diego, pour emménager dans une plus petite ville, convenant mieux à leur vision de l'existence. Cela représentait une importante prise de risque, sans garantie professionnelle. Mais ils abordèrent cette mutation comme une aventure et sont aujourd'hui très heureux de cette décision.

Il importe de se rappeler qu'il n'y a pas une seule manière d'entretenir le dynamisme du couple. L'essentiel consiste à explorer ensemble ce qui nourrit la relation, à vaincre les résistances et à passer à l'action. Si nous vivons avec des regrets ou l'espoir que les choses changeront dans un futur hypothétique, nous créons une dualité intérieure. Souvenons-nous toujours de ceci : seuls existent le présent, cet instant, ce jour, cette semaine. Ne remettons pas à plus tard ce que nous pouvons faire pour revivifier notre existence. Ce moment est très précieux. Tous le sont.

❷ Être créatifs ensemble

> *Il n'est pas nécessaire d'accomplir de grandes choses.*
> *Je prépare mon omelette du matin pour l'amour de Dieu.*
>
> Frère Lawrence

> *Chaque trait de mon pinceau*
> *Est un jaillissement*
> *Du plus profond de mon cœur.*
>
> Sengai

Si tout acte créatif est un « jaillissement du plus profond de notre cœur », alors, quand nous nous associons à l'être aimé pour concevoir, nous unissons véritablement nos cœurs, dans une communion avec les muses et le mystère de la Création. Dès lors que nous sommes vraiment présents dans l'instant et que nous permettons à notre monde intérieur de se révéler, notre esprit devient plus fécond. Que ce soit en préparant une omelette, en aménageant un jardin, en modifiant l'agencement de nos meubles ou en planifiant nos vacances, nous pouvons laisser notre inspiration et notre imagination nous rapprocher l'un de l'autre. Quand nous oublions notre ego et œuvrons pour un dessein commun, nous participons à un processus émanant du meilleur de chacun de nous. S'il s'agit d'une idée concrète – installation d'une véranda, décoration d'un salon, rénovation d'une maison –, nous évoquons toutes les possibilités. Nous rebondissons sur les suggestions de l'autre. La conversation sera ponctuée de phrases comme : « Et si on faisait ceci ? » ou « Tiens, j'ai une idée ! », ou « On pourrait combiner ces deux options. » Cette effervescence de deux imaginations, d'où fusent des idées découlant les unes des autres, permet d'obtenir un résultat encore meilleur.

Si nous nous rejoignons dans le Nous, si créer ensemble compte davantage que l'emporter sur l'autre ou avoir raison, notre relation s'en retrouve régénérée. Peu importe que les arbres soient parfaitement taillés, que le gâteau ait brûlé dans le four ou que la table livrée ne corresponde pas à l'image du catalogue. L'important réside dans ce désir de nous unir et d'explorer ensemble, pour insuffler une nouvelle vie aux tâches ordinaires du quotidien.

La créativité, c'est le souffle de l'esprit circulant librement en nous, balayant les perceptions périmées, les idées éculées, pour nous ramener à l'esprit du débutant, à cet état d'enfant, libre de toute règle, résonnant de possibles et de plaisirs.

❸　Chercher à accroître notre amour, non à changer autrui

Notre voyage se déroule à l'intérieur de nous : il consiste à découvrir les fleurs, les graines, les toiles d'araignée, les ombres de notre jardin. Il ne s'agit pas d'apprendre à notre partenaire comment identifier ses propres côtés obscurs et lumineux, même si la relation conduit à faire remonter ces choses à la surface.

Au cœur du chemin spirituel, nous nous autorisons à ne faire qu'un avec le moment présent. Au lieu d'imaginer des scénarios correspondant à nos souhaits, nous pénétrons chaque instant en pleine conscience, puis nous réagissons suivant ce qui surgit en nous, tempérant notre impulsivité par le respect et la bienveillance. Ainsi, si notre partenaire nous invective ou nous rabroue, nous lui disons : « Je n'aime pas que tu me parles sur ce ton », mais nous ne nous lançons pas dans une analyse psychologique complexe. Nous nous rappelons que son comportement cruel ou agressif découle de sa souffrance ou de son ignorance. Nous fixons nos limites et nous répondons simplement, sans le rejeter.

Si nous essayons de façonner l'autre à l'image de notre idéal, nous nous retrouvons prisonniers de nos attachements : « Je tiens à ce que tu sois plus doux, moins secret, etc. » Cela revient à lui signifier : « Je ne t'aime pas tel que tu es. Alors je t'en prie, change pour te conformer à cette représentation étriquée que je pourrais admirer. » Nous employons toutes sortes de moyens, explicites ou déguisés, pour manipuler ou changer l'autre, parce que nous ne l'acceptons pas tel qu'il est. Cependant, gardons en mémoire que cette idée ne concerne pas les demandes simples, claires et directes comme : « Pourrais-tu éviter de mettre le désordre dans le salon ? »

Lorsque la relation devient partie intégrante de notre chemin spirituel, nous voyons l'être aimé dans sa réalité, avec ses faiblesses, ses défauts et ses talents, ses qualités. Nous ne sommes pas obligés d'apprécier tous ses côtés ; simplement, nous décidons de ne pas vivre dans l'illusion. Nous regardons l'autre dans son ensemble, sans nous limiter aux aspects plaisants et romantiques que nous préférons.

Souvent, on veut réduire son partenaire à ses facettes les plus séduisantes. Je demande alors de tracer un cercle et d'y inscrire toutes les caractéristiques du conjoint : voilà la réalité – c'est un tout. Cela provoque parfois la réaction suivante : « Mais je crois que cette partie tendre, bienveillante, agréable est son vrai moi. Ne pensez-vous pas qu'en travaillant dessus, il pourrait être toujours comme cela ? » Je réponds : « Telle n'est pas la question. La seule chose à prendre en considération, c'est la situation d'aujourd'hui et votre partenaire dans son état présent. Le problème ne vient pas de l'autre, mais de vos images et de vos attachements. »

Marie et Lawrence évoquaient les débuts tumultueux de leur relation, avant l'une de leurs nombreuses séparations, supposées définitives. « J'entretenais cette image de l'homme parfait pour moi et Lawrence ne lui ressemblait pas, expliqua Marie. Il était petit, le front un peu dégarni, avec un physique assez ordinaire. Il n'avait rien de fabuleusement séduisant, comme tous ces horribles partenaires avec lesquels je m'obstinais à sortir. Nous nous disputions à tout propos, car je voulais qu'il devienne ce qu'il n'était pas. Et il se rebiffait. Des années plus tard, il a emménagé avec ma fille et moi, comme simple colocataire. Alors seulement j'ai commencé à le voir comme Lawrence, cet homme tendre et attentionné avec mon enfant, cet être affectueux, constant et fiable vis-à-vis de moi. Un si bon ami, avec qui j'aimais partager tant de choses : faire de la musique, du vélo, des randonnées. Quand j'ai renoncé à vouloir le changer, mon ancien fantasme s'est progressivement dissipé et nous avons cessé de nous quereller aussi souvent. Je me suis alors rendu compte que cette représentation idéale n'avait aucun sens. Tous les hommes qui avaient répondu à ces critères de charme et de beauté s'étaient finalement révélés égoïstes et indifférents à mon égard – sexy, mais vides. »

Lawrence ajouta : « À l'époque, je me rebellais tout le temps. C'était comme si je ne faisais rien correctement, comme si quelqu'un me grignotait miette après miette. Cela me blessait et me renvoyait à mon enfance, quand je me vivais comme le vilain petit canard. Alors, je suis parti pendant un an. J'ai même quitté le pays pour m'éloigner le plus possible. »

Quand chacun d'entre eux entreprit de développer sa conscience de lui-même et de sonder son fonctionnement interne, la dynamique se transforma.

Marie ne s'évertua plus à changer Lawrence, et lui apprit à défendre ses points de vue. Elle adopta une position plus bienveillante, ce qui lui permit de voir, sous l'apparence, le cœur de son bien-aimé, cette âme tendre, se débattant dans ses conflits et aspirant à une vie pleine d'amour et de sens. Elle passa du moi-objet au Je-Tu. Elle vit Lawrence tel qu'il était, et non plus au travers du filtre de ses projections.

Jill avait elle aussi traversé une phase difficile dans son mariage, durant laquelle son époux lui lançait continuellement des piques sur son physique : « Tu as pris du ventre », « Tes cuisses se sont arrondies. » Elle se laissait atteindre par ces remarques désobligeantes, en était blessée et déprimée. En fait, il avait franchi une limite, en critiquant le corps de sa femme au lieu de s'interroger sur son propre fonctionnement sexuel. Elle validait cela en éprouvant de la honte. Un jour, elle se sentit envahie par un accès de colère. Elle jeta son peignoir à terre et se tint devant lui, nue. « Voici le corps dans lequel je vis, déclara-t-elle. Il est comme il est. C'est un corps bien fait et désirable. C'est moi, c'est la personne que tu as épousée. Et je ne veux plus entendre le moindre commentaire à ce sujet. » Jamais plus il ne recommença.

Cette puissante prise de position les ramena tous deux à la réalité du moment présent. Finalement, ils s'ouvrirent davantage l'un à l'autre et se rapprochèrent. Il renonça à sa vision idéalisée de la silhouette féminine et accepta sa compagne comme elle était. Elle n'eut plus honte de son physique et ne laissa plus l'opinion de son mari lui dicter sa perception d'elle-même. Ensemble, ils devinrent adultes.

Le bouddhisme parle de « retirer la couche de poussière couvrant la fenêtre », afin de voir clairement, sans les voiles de l'illusion. Telle est notre mission en amour : porter un regard lucide sur l'autre, abandonner nos images, et entrer dans la danse du couple avec cet être de chair et de sang, parfaitement imparfait, que nous avons élu comme notre bien-aimé. Il s'agit d'un voyage côte à côte, où nous devenons tous deux ce que nous sommes vraiment. Alors seulement nous pénétrons le cœur de notre amour, et dépassons les frontières de notre ego pour accéder à l'authentique communion.

✦ Accepter les pertes quotidiennes de l'existence

Les nuages passent et la pluie opère,
Et tous les êtres individuels affluent dans leur forme.

Yi King

L'existence est traversée par un flux sous-jacent de tristesse. Une part de nous meurt à chaque seconde. Afin de nous laisser porter par l'instant présent, nous devons nous détacher d'hier, de la dernière minute écoulée – la caresse, la conversation, la rencontre, la blessure, la querelle, le baiser. Si nous nous efforçons de retenir le moment, nous ne le vivons pas. Si nous tentons de le recréer, nous nous figeons dans la nostalgie du passé. Ceci est maintenant, et c'est tout ce que nous avons. Cet instant est révolu ; à présent, place à un autre instant, à une autre pensée, à une autre larme, à une autre émotion de bonheur ou de chagrin – tout comme le souffle que nous venons d'exhaler. Rien ne sera jamais identique.

De même, au sein du couple, ce qui nous donnait jadis du plaisir perd de son charme, bien souvent pour l'un seulement des deux conjoints.

Tous les dimanches, Marge et Betty se levaient, achetaient le *New York Times*, écoutaient de la musique classique, se préparaient un café et des œufs brouillés puis lisaient ensemble les nouvelles en discutant autour du petit déjeuner. Un samedi soir, Betty annonça son intention d'aller à l'église le lendemain matin. Elle éprouvait un manque et souhaitait trouver une communauté spirituelle à sa convenance.

Au début, Marge ressentit une vive douleur. Ce rituel qu'elle chérissait tant serait interrompu, peut-être pour toujours. Elle s'autorisa à éprouver cette perte et, ce faisant, put à la fois exprimer sa tristesse et soutenir Betty dans cette étape de sa vie. Le matin suivant, elle se retrouva seule. Cela ne lui était pas arrivé depuis plus d'un an. Son impression de vide initiale laissa place à une envie d'écrire à de vieux amis. Puis elle sortit se promener et réfléchit à sa propre existence. Elle permit à cette vacuité de constituer une porte ouverte sur la nouveauté dans sa propre évolution.

Dans l'hypothèse où elle aurait refusé d'éprouver cette perte, la conversation aurait pu prendre le tour suivant :

Marge : « Mais nous passons toujours le dimanche matin ensemble. »

Betty : « Je sais, mais j'ai envie d'aller à cet office. »

Marge : « C'est plus important que moi à tes yeux ? »

Betty : « Non. Comprends-moi. Cela n'a rien à voir avec toi. Il s'agit de mon besoin personnel. »

Marge, haussant le ton : « Pourquoi ce besoin ? »

Betty : « Je n'en sais rien, c'est juste une envie. »

Marge : « Tu ne sais même pas pourquoi tu y vas et tu gâches notre moment d'intimité. Et moi ? Je ne compte plus pour toi ? »

Betty, soudain envahie de culpabilité, de colère et de frustration : « Bien sûr que tu comptes, mais j'aimerais que tu penses un peu à moi pour changer. Pourquoi tout devrait-il tourner autour de tes desiderata ? »

Et ainsi de suite…

Dès lors que nous laissons un rituel – par exemple, le brunch du dimanche – définir notre lien et constituer la mesure de notre intimité, y renoncer nous apparaît comme l'anéantissement de la relation dans son entier, et non comme un simple changement. Afin de rester sur le bon chemin, nous devons nous autoriser à ressentir cette perte. Si nous gravons en nous des images de ce qui nous a procuré du plaisir et que nous tentons de les reproduire, nous serons probablement déçus. Ce chalet de montagne, qui semblait si romantique, n'aura peut-être plus cette dimension enchanteresse quand nous y retournerons cinq ans plus tard.

Nous recherchons le confort, la sécurité et des routines immuables pour nous protéger contre les pertes inévitables qui génèrent cet arrière-fond constant de mélancolie dans notre existence. « J'ai cette relation établie, ce mariage, cette maison, cette sexualité, et je veux les garder tels quels. » Nous nous enfermons aussi au travers d'une stabilité basée sur des horaires fixes, des règles alimentaires, des programmes de télévision, des séances de gymnastique, et même des pratiques spirituelles telles que la méditation. Un emploi du temps ne représente pas un mal en soi, mais si nous nous y

attachons sans accepter le changement, nous voilà coincés. Si nous nous sentons contrariés toute la journée parce que nous n'avons pas eu notre jogging
matinal, notre orgasme, notre méditation, notre jus d'orange, notre journal,
cela indique que nous sommes attachés à ce rituel : nous devons lâcher prise.

Ne laissons pas notre univers devenir trop rigide. Ne nous complaisons
pas trop dans notre sécurité. Ne soyons pas prisonniers de nos habitudes.
Cela ne contribue qu'à nous endormir. Et dans cet état d'assoupissement, la
moindre perte apparaît comme un bouleversement, un cataclysme, et non
comme un phénomène naturel.

La véritable stabilité puise ses racines dans un amour vivant en nous et se
propageant dans toutes nos relations. Et cet amour riche et mûr nous offre
un refuge intérieur permanent, quels que soient les drames autour de nous :
un incendie, un licenciement, une fâcherie. Dans cette perspective, la perte
est vécue comme une expérience qui nous traverse mais ne prend pas de proportions démesurées.

Voici ce que Ruth me disait à ce sujet : « Au sein de notre couple, nous
nous aidons mutuellement à prendre du recul, face aux vicissitudes. Si notre
voiture est accidentée, si nos affaires tournent mal, si l'un de nos enfants a des
problèmes, nous nous rappelons l'un à l'autre ce qui compte vraiment dans
l'existence : nous sommes en vie, nous sommes ensemble, nous nous aimons.
Seuls, nous serions peut-être déprimés par ces événements, mais à deux nous
parvenons à nous maintenir dans la réalité. Aucun de nous n'accorde trop
d'importance aux biens matériels. »

Affronter les petits aléas du quotidien constitue un bon entraînement pour
les épreuves plus graves, y compris la mort. Toute difficulté apparaît comme

inhérente au flux de la vie. Nous pleurons ces pertes, mais nous continuons d'avancer. Un ami proche, dont la femme avait succombé au cancer, connut une période de profonde tristesse, mais deux ans plus tard il avait recouvré joie et optimisme, et se remariait.

Récemment, lors de la réception suivant les funérailles de ma tante Janet, nous avons fêté de beaux moments d'existence. Emily, la fille de la défunte, avait sorti un carton de vieilles photographies et nous les avons regardées ensemble. Une cousine nous annonça sa grossesse, un couple nous convia à la noce, et un énorme gâteau fut découpé en l'honneur de trois anniversaires survenant dans la semaine. C'était une véritable célébration de la vie.

Le degré le plus élevé de l'acceptation de la perte consiste à se souvenir que nous faisons tous partie du courant de conscience universel. Nous venons au monde dans une enveloppe charnelle et nous abandonnerons ce corps derrière nous pour retourner dans le vaste océan du Tout. Nos pensées, nos émotions, notre existence passent à travers nous : elles sont éphémères ; nous sommes bien davantage que cela.

⑤ Cultiver la relation

Il semble évident de dire que l'investissement affectif au sein du couple requiert de la disponibilité. Pourtant, cette notion échappe à nombre de personnes. Nous entretenons le vague mythe que ces choses arrivent d'elles-mêmes ; nous nous trompons. Si nous nous installons dans une relation plutôt agréable, sans rien faire pour la maintenir, elle se désagrégera. Pour que notre union s'épanouisse, nous devons consacrer du temps et de l'énergie l'un à l'autre.

Ceux qui y réussissent se fixent des rendez-vous en tête à tête, se réservent des moments pour parler, faire l'amour et s'amuser ensemble. Ils trouvent des occasions de s'isoler de leurs enfants. Autrement dit, ils considèrent leur couple comme une priorité. Même s'ils ont une carrière très prenante et subissent toutes sortes de pressions, leur amour reste au cœur de leurs préoccupations et ils lui prêtent une attention constante. Quand deux conjoints sont unis dans le Nous, alors les aspects parentaux, professionnels et sociaux de leur existence s'en trouvent enrichis. Trop souvent, les gens considèrent les enfants, le travail, le sport, les loisirs, comme un substitut pour pallier les manques de leur couple.

Si nous voulons que nos plantes croissent, nous les arrosons, les plaçons dans un lieu correctement éclairé, en ôtons les feuilles mortes, et vérifions l'humidité de la terre. À mesure que la lumière du soleil varie au fil des saisons, nous les changeons de place, en particulier si elles semblent dépérir. Si la culture de nos végétaux requiert tous ces soins, nous pouvons imaginer ce qu'exige l'entretien d'une relation.

Certes, le plaisir partagé ne se mesure pas en minutes ou en heures, mais en général les couples harmonieux accordent une importance considérable au temps passé ensemble. Bien sûr, il est des périodes dans la vie où une personne est moins disponible, en raison de son métier, d'une maladie, d'un problème familial, etc. Mais parfois, nous sommes tellement occupés que nous ne remarquons pas la rareté de nos contacts avec notre partenaire. Afin de mieux en prendre conscience, nous pouvons opérer un calcul simple : additionnons les heures de la semaine consacrées au travail et au sommeil. Puis considérons le temps restant. Combien d'heures passons-nous sans l'autre ? Combien d'heures passons-nous avec l'autre ?

Si nous constatons que nous ne trouvons pas d'occasions d'être ensemble, interrogeons-nous : est-ce parce que nous n'accordons pas d'attention à la relation et que nous avons besoin de réaffirmer notre engagement ? Est-ce parce que les moments passés en compagnie de l'autre sont devenus vides de sens, monotones ou tendus ? Dans ce cas, il convient d'explorer en toute sincérité ce qui nous dérange ou nous perturbe l'un et l'autre. Et souvenons-nous : si un fossé s'est creusé dans le couple, cela n'arrangera rien de rester dans le statu quo. La fleur dont on néglige de s'occuper se flétrit. C'est le moment ou jamais de nous ouvrir. Initier une telle conversation implique de faire un effort, d'interrompre son rythme pour s'asseoir ensemble et parler franchement. Et cette perspective peut paraître effrayante. Or nous ne devrions redouter que la séparation, la solitude, l'éloignement, la perte du lien et la pauvreté d'une existence empreinte de retenue et de distance. Enfin, la quantité de temps passé ensemble n'est pas le plus important, mais bien plutôt l'authentique partage de moments où nous apprécions vraiment de nous retrouver l'un avec l'autre.

6   Une relation d'amour est une bénédiction pour le monde

L'amour, qui est l'énergie et l'expression même de la vie, est un tout.
La pensée ne peut accéder à cette énergie.
Les mots ne peuvent la saisir.
Elle est nous tous et notre être tout entier.
Elle n'est pas la réponse à notre question.
Elle est notre question devenue silence.

Steven Harrison, *Aller où vous êtes*

Les traditions orientales emploient l'expression *neti*, *neti* dans de nombreux enseignements spirituels – ce qui signifie « Pas cela, pas cela ». Lorsque nous cherchons à comprendre l'amour, nous pouvons préalablement nous demander ce qu'il n'est pas. L'amour n'est ni une émotion, ni une attirance, ni un sentiment, ni une sensation, ni un attachement, ni une possession, ni une dépendance, ni un besoin. Il n'est pas l'utilisation d'autrui pour combler un vide, nous sentir importants ou choyer notre ego. Aucun mot ne peut en résumer le sens, car il est au-delà du temps, au-delà de la pensée.

L'amour nous attend, sous notre colère, notre peur, notre chagrin et notre désespoir. C'est un processus évoluant au fil du temps, au fil de nos expériences de don, d'accueil, de connaissance, de changement, de perte. Nous apprenons progressivement à rester transparents l'un pour l'autre, grâce à un niveau élevé d'honnêteté. Nous nous réconfortons et nous chérissons mutuellement. Nous rions, pleurons et jouons ensemble.

L'amour se manifeste naturellement dès lors que l'esprit et le cœur sont délivrés de la peur – lorsqu'il n'existe plus de protection, plus de retenue. Toute crainte se dissipe quand nous nous unissons, sans effort, sans volonté, sans inquiétude, sans échéance. Nous nous rejoignons dans le fleuve de la vie et nous laissons porter par le courant.

Lorsque nous vivons au cœur de l'amour, notre quotidien s'emplit de fascination et d'émerveillement devant toute chose : une nouvelle pousse sur une plante, l'entrelacement des fils dans un tissu, le sourire d'un ami. Nos pensées et émotions jaillissent et disparaissent, tandis que nous restons liés à cette force universelle qui nous relie tous.

Dans notre couple et dans nos amitiés, notre amour constitue alors un miroir, reflétant notre potentiel et nos forces. Nous sommes à la fois la chandelle et la flamme. Nous pénétrons un cycle où donner et recevoir fusionnent en une énergie unique, et nous devenons authentiques et généreux, souhaitant le meilleur pour tous nos semblables. Ainsi, les couples heureux et harmonieux que j'ai rencontrés s'investissaient de manières très diverses dans leur communauté.

Le sénateur Mike Mansfield l'exprimait dans un article au sujet de la mort de sa femme : « Le statut auquel j'ai accédé dans mon existence, je le dois à mon épouse Maureen. Elle était et reste mon inspiration. » Inséparables durant leurs soixante-huit années de mariage, ils s'étaient rencontrés dans le Montana, alors qu'elle enseignait l'anglais au lycée et qu'il travaillait dans une mine de cuivre locale. « Elle encouragea et força littéralement le jeune homme que j'étais, et qui avait arrêté l'école en quatrième, à passer son baccalauréat et à obtenir un diplôme supérieur. Elle a clôturé son assurance vie et démissionné de son poste pour rendre cela possible… Elle a toujours été la plus belle moitié de notre couple… En d'autres termes, je suis ce que je suis grâce à elle. »

Ce témoignage ne raconte pas l'histoire d'une femme qui s'est sacrifiée, mais celle de deux êtres qui se sont mutuellement stimulés et encouragés à révéler les aspects les plus positifs, les plus admirables de chacun d'eux. Maureen rayonnait de chaleur et de bonté, soutenait quantité d'œuvres humanitaires et menait une existence choisie. Comme l'expliquait un de ses amis : « Je ne crois pas que quiconque puisse mesurer son influence sur les décisions de son mari. Mais elle était immense. Quelle équipe ! Voilà deux personnes bienveillantes et dignes qui se sont forgé leur destin en essayant de rendre les choses meilleures pour tout le monde. »

Nos relations de couple sont intégrées à la collectivité. Le monde vit en nous, et nous vivons dans le monde. C'est une roue à l'intérieur d'une autre roue, un cercle infini de connexions en perpétuel mouvement. La fondation constituée par notre amour nous permet de tendre la main aux autres, de transmettre une énergie bienfaisante à nos amis et à nos proches. En fin du compte, l'amour n'est pas une chose que nous recherchons, mais il vit en nous et autour de nous. Par cette manifestation d'un authentique lien avec autrui, nous sommes partie intégrante d'un Tout vaste et intangible. À mesure que nous puisons toujours plus profondément dans cette source d'amour, vivante en nous, nous devenons à la fois le message et le messager.

Avec paix et gratitude,

Charlotte Kasl

Sincères remerciements à...

Janet Goldstein, mon éditrice depuis dix ans, pour son enthousiasme, ses suggestions précises et son aide dans l'élaboration de cet ouvrage.

Susan Hans O'Connor, pour son avis général sur ce livre et pour son intrépide courage dans la suppression de certains passages.

Blake de Pastino, qui a relu le manuscrit achevé et a passé plusieurs journées chez moi pour réorganiser les chapitres, corriger et m'apporter des encouragement et de la stabilité au milieu des problèmes informatiques et de l'angoisse générale.

Et, comme toujours, un énorme bouquet de roses à l'intention d'Edite Kroll, mon agent depuis quatorze ans, pour son amitié, son soutien, ses conseils et son humour.

Un bon déjeuner et un thé très chaud pour Judi Kolenda, qui a été mon assistante et mon point d'ancrage durant toute l'écriture de ce texte.

Mille mercis à tous ceux qui m'ont apporté leur contribution, sous une forme ou une autre, en me prodiguant leurs enseignements, en me confiant leur histoire, en me livrant leurs idées et suggestions. Je m'étonnerai toujours de l'ouverture et de la bonne volonté de toutes ces personnes qui se sont montrées prêtes à me raconter leur vie. Je suis remplie d'humilité devant leur sagesse et leur réflexion, qu'ils ont si généreusement partagées pour aider leurs semblables à grandir : Stephen Wolinsky, Sigurd Hope, Suzie Risho, Lindsay Richards et Tom Roberts, Dodie et Roger Moquin, Bob et Grace Lucas, Judy Stevens, Don et Mary Nelson, Heln et John Watkins, Lizzie Juda et Steve Nelson, Vicki et Tim Mathews, Stu et Marvel Stewart, Martha Boesing, Pat Bik, Jeanine Walker, Tammie Milligan, Lynette Christensen, Kyoko Katayama et Eric Stull, Judith Reynolds.

Et pour leur simple présence, pleine de tendresse, d'humour et d'amour, merci à Zamilla, à Leslie Ojala, à Jodi Marshall, à Starshine, à la communauté soufi de la région de Missoula et aux membres de la Missoula Friends Meeting.

Je ne voudrais pas oublier les montagnes, rivières, rochers, chemins et sapins qui composent le magnifique paysage autour de moi et qui nourrissent mon cœur chaque jour.

Enfin, à la génération à venir, j'adresse mon souhait le plus sincère de créer des relations durables et profondes : Janel et Rodney, Lawrence et Kim, Alex et Tony, Kathy et Rob.

Lumineuse bénédiction à vous tous.

Table des matières